小説編集者の仕事とはなにか？

唐木厚

星海社

294

SEIKAISHA SHINSHO

はじめに

はじめまして、小説編集者の唐木厚《からきあつし》と申します。

いきなりですが、小説編集者の仕事とは何でしょうか。この本を開いてくださっているあなたは、どう思いますか?

作家のように原稿を書くわけでもなく、印刷をするわけでもなく、ましてや販売するわけでもない。文字としては「集めて編む」と書く仕事の中身は、一体何なのでしょう。

この謎を、僕なりに考え解き明かしていくのが、本書です。

もちろんこれは、人の数だけ答えのある謎ではあります。実際に編集の仕事に就《つ》いている人に問いかけても、人によって、また時と場合によって、答えも変わるでしょう。ミステリのトリックのように推理をし、ロジカルに分析して解答が得られるものではありません。むしろ、永遠の謎と言ってもいい。

ですから、本書をお読みいただくあなたにも、この謎の答えを、考えてみていただきたいのです。これからお伝えする僕なりの理論や、過去の経験から得た学びを思考の材料として、一緒に編集について考えてみてくださいませんか。

僕は1990年、講談社《こうだんしゃ》で編集者になりました。主に講談社ノベルスというレーベルを出版する編集部に所属し、在籍中には講談社ノベルスだけで、少なくとも180冊は担当したと記憶しています。多くの作家と出会い、一緒に仕事をしてきました。エンターテインメント小説の新人賞であるメフィスト賞の立ち上げにも携《たずさ》わり、作家のデビュー作や代表作の編集を担当したことも数え切れません。

特に京極夏彦《きょうごくなつひこ》さんや森博嗣《もりひろし》さんのデビュー作を世に問う仕事ができたことは、僕の編集者人生を変える大きな出来事でした。

2020年に講談社を退職し、半ば現役を退いたような身の上ですが、編集という仕事について、考えることは尽きません。むしろ自由な時間が増えたぶん、編集という仕事の「謎」を考えることも増えました。まだまだ僕も、編集という迷宮の中にいます。

これから編集者になりたい人、いま編集者として働いている人、小説（特にミステリ）が好きな人、編集ではなくても働くことについて真剣に考えている人……そんな人たちと、本書をきっかけにあれこれ語り合うことができたなら本望です。

それでは一緒に、「編集者の仕事とはなにか」、謎解きを始めましょう。

目次

第1章

小説の編集者とはなにか考えてみる

編集者のジャンル

さて早速、小説の編集者とは何なのかを考えていきましょう。編集者の仕事にもいろいろなジャンルがありますが、この本で語っていくのは「小説の編集者」、その中でも主に「エンターテインメント小説の編集者」です。ちなみに、通常だと小説の編集者のことを文芸編集者と呼びますが、業界外の方にはあまり認知されていないと思いますので、本書では「小説編集者」とします。

書籍に限っても、小説、マンガ、実用書、新書など、ジャンルによって編集者の仕事に大きな違いがあります。また出版物は書籍だけでなく雑誌もありますし、いまではウェブメディアで編集をする人びとも増えました。メディアと編集部の数だけ、多彩な編集者の仕事があると言えます。

それをあえて大別《たいべつ》すると、編集者の仕事はノンフィクション系とフィクション系の2種類に分けられると僕は考えています。編集者に求められる能力には、そのふたつのタイプでかなりの違いがあります。

たとえば講談社なら『ViVi』や『VoCE』などの女性誌、『週刊現代』や『フライデー』などの報道誌を発行しています。こういった情報メディアや報道メディアを取り扱うのがノンフィクション系の仕事です。

そこでは、「読者に何を伝えるか」に力点《りきてん》が置かれます。そして、「何を伝えるか」の選択は編集者（編集長）に基本的には委《ゆだ》ねられています。あえて言えば、編集者は表現者により近いといえるでしょう。女性誌を「ノンフィクション」と呼ぶのには抵抗のある方もおられるかもしれませんが、ここでは「何を伝えるか」に力点が置かれているジャンルをひとまとめにしております。

それに対して、「読者にどう伝えるか」に力点が置かれているのがフィクション系です。講談社だと、小説の単行本出版部や、『青い鳥文庫』などの児童書出版部、『週刊少年マガジン』などのコミック誌編集部がこちらに入ります。

フィクション系の世界では、ノンフィクション系と違い「何を書いたか」だけで評価されることはありません。たとえば歴史小説で、世の中に埋《う》もれていた偉人を発見しその人物の生涯を描いたとしても、文章やストーリーが面白くなければ本にならないのです。本格ミステリの場合も、トリックだけが素晴らしくても、やはり本になることはありません。「どう書くか」を考えて表現するのは作家の役割です。その意味で、小説やマンガの編集者は表現者とはちょっと違うと僕は思っています。作家という表現者の才能を取り扱う、いわばプロデューサーの役割に近い。

個人的な話になってしまいますが、僕は能《のう》などの古典芸能が好きです。なぜなら、「何を演じるか」よりも「どう演じるか」に力点が置かれていると感じるから。やはり僕自身は小説の編集をしてきた人間なので、「どう伝えるか」を重視するフィクションのジャンルが好きなようです。

ノンフィクション系とフィクション系、両方のジャンルで活躍する編集者ももちろんいますが、どちらか片方に適性がある、という場合が多いように感じます。

マンガ編集者と小説編集者の違い

マンガの編集も、小説の編集と同様に作家という才能を取り扱うフィクションジャンルの仕事です。それでは、マンガ編集者と小説編集者の仕事の違いはどこにあるのでしょうか。これはあくまで小説編集者からの見方ということになりますが、作品の発表形態《けいたい》の違いによるところが大きいと思っています。

マンガは『マガジン』や『ジャンプ』、『サンデー』のようなマンガ誌での連載形式がオーソドックス。マンガは単行本化される前に、マンガ誌で連載することが前提になっているのです。「描き下ろしコミック」というのもありますが、それほど多いわけではありません。

では小説の場合はどうでしょう。みなさんは『マガジン』や『ジャンプ』、『サンデー』のように、知名度や人気がある小説誌に心当たりはあるでしょうか。読書好きの方でも、なかなか小説誌まで読む方は少ないのではないかと思います。

マンガ誌では、例外はありますが、長く連載し続けることのできるストーリーが求められるのが常です。本にまとめる際に単巻完結となるのはレアケースで、ヒットすれば何巻もの冊数を重ねていきます。

しかし小説は、マンガより単巻完結の場合が多いのです。つまり小説家は、マンガ家と比較すると作家人生のなかでより多数の作品を書くことになります。そうなると出版社としては、作品単体だけではなく、作家そのものにファンが増えるように考えたほうが得られるものが大きい。ですから小説の編集者は、作品だけでなく作家をもプロデュースしようという気質が強くなるのです。

もちろん小説でも、『グイン・サーガ』[*1]（現在148巻）のように、巻をまたいでひとつ

＊1　栗本薫が第1巻「豹頭の仮面」（1979年、早川書房刊）を皮切りに、足掛け31年にわたり手がけたヒロイック・ファンタジーの巨編。作者の死により、正伝は130巻、外伝は22巻で中断した。が、その後も複数の作家により続編が刊行されている。

のストーリーがずっと続いていくシリーズもあります。またライトノベルはシリーズ展開が基本なので、マンガに近い設計になっているともいえるでしょう。

小説の編集者はプロデューサー的

僕が編集者になったばかりのとき、当時の上司である中澤義彦《なかざわよしひこ》さんに「お前がこれからやる仕事は、お前がいままで大学でやってきたことと同じだよ」と言われました。ピンときていない僕が「どういうことですか?」と聞き返したら、「お前はアイドルが好きで応援してきたんだろ。お前がこれからやる仕事もそれと変わらない」との返事。そう、僕はアイドルが好きで、大学時代はアイドル研究会に所属していたのです。

つまり、アイドルを応援するように、作家を応援することが、編集者の第一歩。アイドルという才能をプロデュースするように、作家という才能をプロデュースするのが編集者の仕事であるというのが、中澤さんの言葉の意味でした。

「作家の才能を輝かせる仕事が、小説の編集者の仕事である」

小説の編集者とは何か、という謎に対して、僕が最初の答えを得たのがこのときでした。

いま「小説の編集者になりたい!」と思っている方は、どのくらいいるでしょうか。紙の書籍の売り上げがピークに達していた1990年代と比べると、さすがに少なくなっているでしょうね。ですが「才能を輝かせる仕事」と言い換えると、興味を持ってくださる方が増えるのではないでしょうか。

アイドルやタレントや声優をプロデュースするように、作家をプロデュースする編集者という仕事も、大変ですが非常に楽しくやりがいのある仕事です。

もちろん、単にファン目線で仕事をすればいいということではありません。その才能がどうしたら花開き輝くのか、冷静に分析して実践することが大切です。しかしプロデューサーには、プロデュースするタレント＝才能を応援する気持ちが不可欠なのです。

才能に愛情や情熱を傾《かたむ》けることと、その才能をどう輝かせるかを考え抜くことを両立させるのが、小説の編集者の仕事なのだと僕は教わりました。

作品だけではなく作家をプロデュース

小説の編集者は「どんな作品を書いても買ってくれるファンがいる作家」をプロデュースすることが、究極の目標といえるかもしれません。しかし、いきなりそんな作家を生み出すのは至難《しなん》の業《わざ》です。

だからこそ、本を出すたびに着実に読者を増やしていくことが大切。本を読み終わったあとに、「この作家の次の作品も読んでみたい」と読者に思ってもらうようにしないといけません。

そのために、僕は小説には「読後感」が大切だと考えています。これはハッピーエンドにしなければならない、ということではありません。ラストを読者の印象に残るものにすることが大切なのです。

僕が「ラストがうまい！」と思う作家は、なんといっても司馬《しば》遼《りょう》太《た》郎《ろう》さんです。『燃えよ剣』[*2]のラストなどは、本当に素晴らしい。司馬さんの作品のラストはどれも、「これはあくまで作家が考えたシーンで史実ではないのだろうけれど、もし本当にこんなことが起きていたとしたら感動的だな」と思わされます。

本格ミステリの場合も、最後に「驚き」があることが多いので、これも読者の印象に残ります。とはいえ、これは編集者にできることではなく、あくまで作家の仕事ではあるのですが。

＊2　1964年、文藝春秋新社刊。新選組の〝鬼の副長〟土方歳三の生涯を描いた歴史小説で、司馬遼太郎の代表作のひとつに数えられる。主人公の土方は、五稜郭の戦いで35歳で討死。

読者を増やしていく上で、編集者にとって大切なのは、作家の才能を自分なりに見極めることだと思っています。エンターテインメントには常に流行《はやり》がありますし、「いま、どういう作品を世に出せば売れるだろうか？」というマーケティング的な観点もとても大切です。世間の興味や需要をまったく無視して結果を出すことは難しいでしょう。

しかし世間的な流行をあまりにも追ってしまった結果、作家に既存の人気作や流行のフォーマットをただなぞるような作品ばかり依頼していたらどうなるでしょうか。運がよければ、計算通りそうした作品は売れるかもしれません。しかし、流行が過ぎ去るのは早いものです。特にエンターテインメント小説の場合は。

僕も若かりし頃には流行に乗った作品をお願いしたことがありますが、流行が過ぎ去ったあとには、その作家にどんな作品をお願いしたらいいのかわからなくなってしまうことがありました。

流行を追うだけでなく、その作家に根強いファンがついてくれる方向にプロデュースしていくほうが、作家にとっても編集者にとっても、結局は幸せにつながるのだと思っています。

作家プロデュースの特殊性

小説の編集者ならではの難しさについても語っておきましょう。小説編集者にはほかのプロデューサー業と大きく違っている点があります。

タレントは、ひとつの事務所に所属することがスタンダードではないでしょうか。ひとりのアイドルが同時に複数の事務所に所属して、それぞれの事務所からマネージャーやプロデューサーが派遣される事態は、聞いたことがありません。

ですが小説の場合、作家には複数の出版社から担当編集者（プロデューサー）がつくことが多いのです。当然ながら、それぞれの担当編集者の利害は必ずしも一致していません。これが、小説編集者が作家をプロデュースする上でもっとも難しいことのひとつだと思います。

出版社主催の小説新人賞を受賞した作家は、受賞した応募作がデビュー作となります。また最近はその風潮は薄くなってきたようですが、3作目まではデビューした出版社から刊行するというのがかつては通例になっていました。では4作目以降は、どうするのか？作家によりけりですが、ひとつの出版社だけで書き続けるのはレアケースです。デビューした出版社と良好な関係が続いていれば、その社での出版頻度《ひんど》を維持しつつも、あとは依頼順、企画が通った順、あるいは書きたかった順などで他社の編集者からの依頼にも応えていくことになります。

ちなみに、編集者は他社で仕事をしている作家とのコンタクトをどのように取るのかご存じですか。答えは、その出版社の編集部に取り次ぎを依頼する、というもの。

作家は文芸界全体で育てるという不文律が、僕がいち編集者として働いていた頃の各社にはあったと思います。取り次ぎを依頼されて作家も了承すれば、お互いに作家を他社の編集者に紹介することを拒《こば》みませんでした。拒むのは作家にとっての機会損失になるという考え方があるからです。

もちろん違う考え方をする編集部もありました。人気作家には断固《だんこ》として取り次ぎをしない編集部などです。確かに、作家は編集部の財産であるという面も無視できません。他社での活躍が増えることを喜びながらも、できればなるべく自社で仕事をし続けてほしい……という気持ちもよくわかるのです。小説編集者には常につきまとう悩みですね。

加えて、すべての取り次ぎを精査《せいさ》せず作家に伝えてしまうと、作家がオーバーワークになってしまい、仕事に支障をきたす場合もあります。それでも、基本的には取り次ぎを拒まないことが文芸界全体のため、と僕は思っています。

そのほか、新人賞や文学賞の授賞パーティーは、主催社以外の出版社の編集者も集まる社交の場で、作家がデビュー担当以外の編集者とも知りあう機会になっています。最近ではインターネット上で連絡先を公開している作家も珍しくなく、編集者が直接依頼するケースもあるでしょう。

編集者不要論について

もう小説の編集者などいらない、という意見をたまに目にすることがあります。

確かにいまは、「自己プロデュース」の時代です。作家をデビューさせる役割は編集者だけのものではなくなりました。2000年代までは、出版社運営の新人賞に応募するのが小説家デビューのメインの道筋だったと言えるでしょう。ですが、2000年代後半からは「小説家になろう」[*3]を中心とする小説投稿サイトが盛況《せいきょう》を極めます。2010年代はサイト上で人気になった作品の書籍化と作家デビューが相次ぎ、いまでは文芸市場の大きな部分を支えてくれるようになりました。「小説家になろう」のような投稿サイトからデビュ

＊3　2004年に開設された日本最大級の小説投稿サイト。現在、株式会社ヒナプロジェクトにより運営されている。書き手はウェブ上に無料で自作小説を公開することができ、読み手も無料で閲覧が可能。

ーした作家は自己プロデュース力が高い人が多く、編集者が貢献できる部分は以前よりは少なくなっているように感じられます。

さらにTwitter（現X）を始めとするSNSをみな当たり前に使うようになり、読者と作家のダイレクトな接点は確実に増えました。担当作品をSNSで宣伝する編集者の姿も珍しくなくなりましたが、作家自身が作品を宣伝するほうが効果的な場合が多いです。

小説出版はネットの時代にはなんとか対応できましたが、SNSの時代にはまだうまく対応できていないように見受けられます。

このような状況で「編集者不要論」を囁《ささや》かれると、編集者はなかなか肩身が狭い気分になるかもしれません。

では、本当に編集者がやることはなくなったのでしょうか。

僕は小説編集者の仕事の力点は、「いま、どうなっているのか」に対応することよりも、「次にどうしていきたいのか」に置くべきではないかと考えています。

「この作家に次はどんな作品を依頼したらいいのか」、「新しい読者をどう獲得したらいいのか」、さらには「ジャンルや小説全体の未来をどう考えるのか」などに頭を悩ませるのが編集者の仕事であり、喜びだと思うのです。それは編集者だからこそできる仕事ではないでしょうか。

いま現在の課題に取り組むときにも、頭のどこかには数年先のことをイメージしておく。現在の状況だけに視野を狭《せば》めないのも編集者の仕事には必要なことだと言えます。

また、さまざまな過去の事例についての知識を持っているのも編集者ならでは。何かをしようとしたとき、過去に同じことをしたらどんな結果が起きたのか、というような知識を編集者は自然と蓄えています。新人編集者でまだそうした知識が不足している場合でも、先輩編集者に聞いて不足を補うことが可能です。もちろん、いままで仕事を重ねて出会ってきた方々との縁を活かすことができるのも、編集者ならではでしょう。

こう考えると小説編集者の仕事がいらなくなったり、ＡＩに代替《だいたい》されてしまったりするような状況が訪れるとは、僕には考えられません。新しい状況にも自信を持って対応していけばいいのだと思っています。

小説編集者の仕事の最重要部分

具体的な仕事の説明も、簡単にしておきましょう。

みなさんは小説の編集者にどのようなイメージを持っているでしょうか？　作家のご自

宅へお邪魔して「○○先生、原稿まだですか？」と催促《さいそく》するようなイメージは、さすがに手書き原稿が主流だった前時代のものですよね。

僕が編集者になりたての1990年は、ちょうど手書きからワープロ[*4]への移行期でした。ワープロが主流になってもフロッピーディスクにデータを保存して持ち運びをしていたので、作家のご自宅を訪問することも珍しくはなかったです。メールやオンラインストレージで原稿データをやり取りできるようになった現在では、信じられない話かもしれません。

編集者のいちばん重要な仕事は、作家とのコミュニケーションです。打ち合わせは電話か、腰を据《す》えないといけない話題のときはご自宅や喫茶店などで会い、話し合っていました。そうしたこともメールでのコミュニケーションが増加したことで、いまは頻度が減っているでしょう。また近年ではウェブミーティングが浸透し、直接顔を合わせずに本を刊行するケースさえ、多々あると聞いています。

時代の流れでコミュニケーションの方法は変わっても、作家と密にコミュニケーションを取り、作品を書きあげてもらうことが編集者の第一の仕事であることは不変です。

＊4　ワードプロセッサ（word processor）の略。文書の作成（文字入力、編集、印刷など）に特化したコンピュータのこと。1980年代半ばから普及し、1990年代には多くの作家が手書きからワープロに移行した。世帯普及率のピークは1998年だった。

作家に小説の執筆を依頼し、打ち合わせを重ね、原稿が届けば読み通し、必要であれば改稿を相談する。そして作品の完成、つまり脱稿に至るまでが、小説編集者の仕事の最重要部分です。

あとは本という形にするプロセス。これも簡単に説明していきます。印刷会社に完成した原稿データを渡して、本のレイアウトに合わせて文字を組んでもらいます。これが初校（慣例的にはゲラ）と呼ばれるものです。その初校を校閲にかけて、作家には誤字脱字をなくすなど最終的な仕上げを行ってもらいます。

中身だけではなく、カバーイラストやデザインを発注し、本の外形を決めるのも編集者の仕事です。すべてが完成したら印刷所にデータを入稿して印刷してもらいます。

もちろん「本ができたら終わり」ではありません。出版界が絶好調だった90年代までは、本ができたあとにやる仕事は新聞などに掲載する宣伝物の確認や、各紙誌の書評欄担当者に本を送ることぐらいしかありませんでした。

しかし、いまは本ができてからの編集者の仕事も増えています。プルーフ（本が発売される前に関係者に配るための見本刷り）やPOPなどの宣伝物をつくり、書店を訪問するなど、その仕事量は膨大です。そうした仕事を何作品か並行して進めていくので、仕事の管理能力が必要になります。

このように、本というコンテンツをつくり、売っていくプロセスのなかでも、プロデューサーの役割を担うのが編集者という仕事の一面です。

アニメ・ゲーム・ドラマにはない、小説の強み

さまざまなコンテンツが溢れる現在、アニメやゲーム、ドラマなどは、小説の競合相手と捉《とら》えることもできます（僕は一概《いちがい》にそうとは思っていないのですが）。ではほかのコンテンツとは異なる、小説が持つ強みとは何でしょうか。

それはもう、「作者」という強い個性を活かせること。ひとりの作家とひとりの編集者、たったふたりの思いが一致すれば、作品を世に問えることです。

もちろん編集部によっては企画会議や上司の許諾が必要なこともあるかもしれません。それでも、基本的には作家と担当編集者、ふたりの熱意があれば企画は通るはずです。

それに対して、アニメやゲーム、ドラマ作品を世に送り出すためには、膨大な人手が必要になります。企画を通すためには、「いまこういうのが流行っている」とか、「この原作は売れているから」とか、さまざまな理由付けが必要になってくるでしょう。作品をつく

り出すまでに、何度も大勢での会議を重ねることになるわけです。でも、僕の先輩で「新本格の仕掛け人」とも言われる有名編集者の宇山秀雄《うやまひでお》さんがよく言っていたことなんですが、それでは「尖った才能」や「異形《いぎょう》の作品」は生まれにくくなってしまいます。

僕は世の中の人たちの関心の局面を変えられるのは、そうした「特別な才能」だと信じています。そうした特別な才能を生み出せる場所こそ、「個人の圧倒的な才能」をダイレクトに表現できる小説やマンガというジャンルなのです。さらに言えば、世の中の局面を変えた創作物の爆発力は極めて大きい。「いままで見たこともないもの」が生まれたとき、世の人びとは最初は抵抗感を示すかもしれませんが、そこを一度超えたら、信じられない速さで広まっていきます。

さらに小説はマンガと違ってアシスタントを基本的には必要とせず、ただひとりが書くことで世界観を構築できるところにも強みがあります。

もうひとつ小説の強みを挙げるとするならば、ひとつの作品がうまくいかなかった場合でも、再チャレンジがたやすいことです。デビュー作がそれほどヒットせず、評価もされなかった新人作家が、いくつか作品を発表しているうちに大ヒットを生み出したケースはいくらでもあります。これもまた小説ならではの強みでしょう。

僕が知る限り、その最高のケースと言えるのが大沢在昌《おおさわありまさ》さんです。大沢さんはデビュー以来ずっと重版がかからず「永久初版作家」と自称されていたほどでした。しかし、デビューから10年以上経って『新宿鮫』[*5]で大ブレイクします。「大沢在昌は絶対にブレイクする」と信じ続けた担当編集者たちも、担当編集者にずっと期待を抱かせる作品を書き続けた大沢さんもどちらもすごい、と僕は思います。

＊5　1990年、光文社刊。キャリア警察官の身でありながら、東京は新宿署で一匹狼の刑事として奮闘する鮫島警部が主人公のハードボイルド小説。第12回吉川英治文学新人賞と第44回日本推理作家協会賞・長編部門をダブル受賞した。

第2章

編集者として、現場で学んだこと

ひとりの編集者の、リアルな告白

この章では、僕が現役の編集者として働いていた時代を振り返ります。先輩から学んだこと、作家との運命的な出会い、新人賞の立ち上げ、思い入れが深い作品、重版《じゅうはん》に届かなかった後悔など、リアルな編集者の実際をお伝えします。本当は携わったすべての作品について触れたかったのですが、さすがにページが足りません。ミステリ、特にメフィスト賞関連のことを中心に語っていくこととします。

23〜25歳 編集者になるまで

アイドル雑誌の編集者になりたくて

第1章でお話しした通り、大学生の頃の僕はアイドル研究会に所属するアイドルファンでした。そんな人間がなぜ出版社を受けたのか。理由は単純明快で、アイドル雑誌の編集者になりたかったからです。就活で僕はアイドル雑誌の『Ｍｏｍｏｃｏ』を刊行していた学研《がっけん》（当時の学習研究社）と『ＤＥＬＵＸＥマガジンＯＲＥ』を刊行していた講談社を受け、先に内定をいただいた講談社に入社を決めたのでした。

講談社の入社志望者の中で「アイドル雑誌の編集者になりたい！」という動機は超レアケースだったのでしょう。新卒採用の面接官には「君、なかなか変わってて面白いねー」と何度も言われました。

『週刊現代』の編集をしたいジャーナリズム志向の人、『群像《ぐんぞう》』の編集をしたい文芸志向の人、あるいは女性誌の編集志望の人が圧倒的に多数だったことは想像に難《かた》くありません。

また、いまでは出版社を受ける人はマンガ編集志望の方が多いと思いますが、当時はまだそれほど多数派ではなかった印象があります。そうした状況で、志望動機が目立ったことが影響したのかはわかりませんが、出版社で働くことになったのです。１９８８年、僕の社会人生活がスタートしました。

悩める営業時代

最初の配属は編集部ではなく、販売促進局の東京支社というところでした。当時の講談社は「〇〇全集」とタイトルがつくような大型本のシリーズに注力していて、僕の仕事はその大型本を売ってくださいと書店にお願いするというもの。東京都内の書店に毎日のように足を運びました。

東京支社に配属されたとき、僕はものすごくがっかりしていました。「お前には編集者はやれない」と会社から判定を下されたように感じたのです。仕事を始めたてのときは、それでもあらゆることが目新しく、そんな日々を楽しんでいたのですが、僕はそれほど話がうまいわけではなく、成果も思うようには上がらなかった。自分は営業には不向きかもしれないな……と悩んでいたところ、「どんなやつでもいいから人手がほしい！」という要望が文芸図書第三出版部、通称・文三《ぶんさん》から会社の人事部にあったようです。

当時の上司はそんな僕の状態を見ていたのでしょう、僕を文三に異動させてくれました。アイドル雑誌でこそありませんでしたが、編集者として働く第一歩を踏み出したのです。

25〜29歳

京極夏彦という才能との出会い

文三って？　講談社ノベルスって？

１９９０年、僕は文芸図書第三出版部、通称・文三に所属することになりました。そこで講談社ノベルスの編集をするように、と人事部から通達されたときの僕のリアクションは、疑問符だらけ。おそらく読者のみなさまも、文三も講談社ノベルスもご存じない方が多いのではないでしょうか。

文三は僕が入社する前年の１９８７年に発足したばかりの新しい部署でした。

それまで講談社の文芸局には、『群像』編集部、純文学系書籍の編集部である文芸図書第一出版部と、『小説現代』編集部、エンターテインメント小説系書籍の編集部である文芸図書第二出版部の4部署がありました。そこに新しい部署として加わったのが、僕が所属することになった文三こと文芸図書第三出版部です。

講談社ノベルスの創刊自体は1982年で、その当時は文芸図書第二出版部から出版されていました。そこから講談社ノベルスの編集部として分離・独立したのが文三です。現在は小説の出版環境の変化により、講談社ノベルスを中心に出版する部署ではなくなりましたが、文三という編集部は存続しています。

発足当初は初代部長の中澤義彦さんも含めて4人でスタートした部署だったと聞きます。僕が入った時点では、それが総勢7名に増えていました。その中でも僕は最若手です。後発のノベルスレーベルであった講談社ノベルスをなんとか主流へ近づけるために、中澤さんはとにかくしゃかりきに働く兵隊がほしかったようでした。

ノベルス界の状況と、講談社ノベルス

ノベルス（ノベルズ）という形態の本を、この本をお読みの10代の方は手に取ったことさえないかもしれません。ノベルスとは、細長い新書判の小説本のことです。いまでは新

書判の本といえば、岩波《いわなみ》新書や中公《ちゅうこう》新書、講談社現代新書のように（この星海社新書も同じく）ノンフィクションを取り扱うレーベルという認識だと思います。

　しかし以前は小説レーベルとして多くの出版社がノベルスを刊行していたのです。ノベルスという形態は「新幹線の東京《とうきょう》－新大阪《しんおおさか》駅間で読めるもの」とよく言われていました。つまり2時間半くらいで社会人が気軽に買って読み捨てられる本という位置付けです。2段組み、240ページくらいのボリュームで当時の単価は700円くらい。

　1959年創刊の光文社のカッパ・ノベルスは松本清張《まつもとせいちょう》さんの『ゼロの焦点』『砂の器』を筆頭とする社会派ミステリでベストセラーを連発していました。とはいえ、社会派ミステリは単行本が主戦場で、ノベルスだけで流行していたジャンルということでもありません。単行本で刊行された作品も、文庫化する前にノベルス化することが少なくなかったのです。

　ノベルスの主軸をなしたのは、推理小説＝ミステリにおいては西村京太郎《にしむらきょうたろう》さん、内田康《うちだやす》夫《お》さん、山村美紗《やまむらみさ》さんなどが手がけたトラベルミステリー／旅情《りょじょう》ミステリーと呼ばれる一群。そして田中芳樹《たなかよしき》さん、菊地秀行《きくちひでゆき》さん、栗本薫《くりもとかおる》さんなどが手がけた伝奇ロマンの一群。勝目梓《かつめあずさ》さん、西村寿行《にしむらじゅこう》さんなどが手がけたエロス＆バイオレンスの一群あたりでしょうか。

檜山良昭《ひやまよしあき》さん、佐藤大輔《さとうだいすけ》さん、志茂田景樹《しもだかげき》さんなどが手がけた架空戦記なども、ジャンルとして定着するくらいに存在感がありました。

僕はノベルスという存在自体は知っていたものの、講談社ノベルスがどんなレーベルなのか、どんな本を刊行しているのか、社内の人間だったにもかかわらず、まったくわかっていませんでした。それどころか、講談社がノベルスを出しているということ自体を知らなかったのです。ラインナップを眺めて、田中芳樹さんの『創竜伝《そうりゅうでん》』[*1]があるのを見つけて嬉しくなりましたが、そのくらいの認識でした。

のちに講談社ノベルスは「新本格ミステリとメフィスト賞」ムーブメントの牙城《がじょう》として人気を博《はく》すことになるのですが、1990年当時の講談社ノベルスは、各社のノベルスレーベルのなかでまだ独自の存在感があるとは言えない地位にありました。

文三部長の中澤義彦さんから、異動したばかりの頃に「お前の仕事は非主流の、そのまた非主流なんだからな」と言われたのを昨日のことのように覚えています。なぜ「非主流のそのまた非主流」かというと、エンターテインメント小説の主流は、あくまで文二が出

＊1　田中芳樹が1987年から2020年まで、足掛け34年で書き上げた長編シリーズ全15巻。超能力を持つ竜堂家の四兄弟を中心とした壮大な伝奇ロマン。

しているような単行本であり、ノベルスは非主流。そのノベルスの主流は光文社のカッパ・ノベルスで、それに続いて創刊された徳間《とくま》書店のトクマ・ノベルズ、祥伝社《しょうでんしゃ》のノン・ノベルなどがあって、講談社ノベルスはまだまだ後発、つまり非主流のそのまた非主流なんだ、ということでした。

ノベルスと新本格ミステリ

講談社ノベルスからは、1985年に島田荘司《しまだそうじ》さんの『占星術殺人事件』[*2]がノベルス化され、1987年に『十角館の殺人』[*3]で綾辻行人《あやつじゆきと》さんがデビューし、編集者・宇山秀雄（宇山日出臣《ひでお》という別名は島田荘司さんの命名による「編集者ネーム」）さんによる新本格ムーブメントはすでに始まっていました。しかし、僕が異動した1990年当時、講談社ノベルスではミステリが8割以上でしたが、新本格がノベルスの柱であるという空気は編集部

*2　島田荘司のデビュー作。第26回（1980年）江戸川乱歩賞に投じられ、最終候補に残るも受賞はならなかった『占星術のマジック』だが、その翌年、改題のうえ単行本刊行された。6人の娘がバラバラに切断された猟奇事件のメイントリックは伝説級。

*3　綾辻行人、26歳のときのデビュー作。原型は綾辻が22歳のとき江戸川乱歩賞に応募した『追悼の島―十角館殺人事件―』（のちに妻となる小野不由美との合作）。孤島に上陸した大学生男女が〝全員死亡〟したとされる事件の裏に驚愕のトリックが！

内にも世間にもまだありませんでした。

1987年から宇山さんが発掘してきた綾辻行人さん、法月綸太郎《のりづきりんたろう》さん、我孫子武丸《あびこたけまる》さん、歌野晶午《うたのしょうご》さんたちがデビューし、新本格系の新人のデビューが続いている、というくらいの段階だったのです。しかし年若く感度の高いミステリ読者は新しいムーブメントの兆《きざ》しに気づいていました。それが、のちの京極夏彦さんの登場やメフィスト賞の盛り上がりにつながっていくわけです。

僕が編集者人生で手がけた最大のジャンルはミステリになりますが、文三への配属時点ではそれほど読んでいませんでした。ミステリは江戸川乱歩賞の受賞作を読んでいた程度。当時、江戸川乱歩賞は直木賞と並ぶほどの影響力のある文学賞で、小説に関心がある人なら乱歩賞受賞作は買っていたのです。

ミステリ初心者の僕は、慌てて「ミステリとは何か」を勉強することになりました。そんな頼りない状態だったにもかかわらず、僕が最初に担当させていただいたミステリ作家の方々はみな暖かく接してくださったことにいまでも感謝しております。特に太田忠司《おおたただし》さんからは「唐木さんはたぶんこういう作品が好きだと思う」といろいろな作品を紹介してもらいました。作家には「自分の担当者をなんとかしてやりたい」と思う方も多いことを知りました。

ただ、これはちょっと言い訳のように聞こえるかもしれませんが、もともとミステリマニアではなかったことは、ミステリの編集者としては悪いことばかりでもなかったと思っています。ミステリというジャンルを、俯瞰《ふかん》的な視点で見ることができたからです。これは編集に限らず、ほかの多くの仕事にも似たところがあるのではないでしょうか。

哲学者・梅原猛《うめはらたけし》に憧れて

いちおう断っておきますと、本は好きでした。自分の人生にもっとも影響を与えられた本を挙げるなら、中学生の頃に読んだ梅原猛さんの『隠された十字架 法隆寺論』になります。

梅原猛さんは、日本の根源的な思想や精神を探求する、独自性溢れる説を展開した哲学者です。歴史学者や考古学者、特に実証主義的な方からは厳しい批判を浴びることも多々ありましたが、その論考には読み手の心に叩きつけてくるような〝熱〟がありました。

『隠された十字架 法隆寺論』は、法隆寺は聖徳太子の怨霊《おんりょう》を鎮魂《ちんこん》するために建造されたと主張するもので、「怨霊史観《しかん》」と呼ばれる「日本史は怨霊によって動かされてきた」とする歴史の見方をつくりあげた作品です。その著述は学術的な緻密さや論証にはやや不足していたかもしれませんが、小説のようにスリリングで、圧倒的な熱量に僕は打たれてしまったのです。

その読書体験を皮切りに、『科挙《かきょ》』などを発表した東洋史学の大家である宮崎市定《みやざきいちさだ》さんや、『小説十八史略《じゅうはっしりゃく》』や『秘本三国志』『阿片《あへん》戦争』などを発表した陳舜臣《ちんしゅんしん》さんの著書を読んだ影響で、東洋史に傾倒していきます。高校生の頃に東洋史の研究者になりたいという夢を持ち、京都《きょうと》大学の文学部に進学しました。

しかし京大の東洋史学科は、東洋史が好きというくらいでは足元にも近寄れないレベルの碩学《せきがく》しかいない恐ろしい場所だと先輩方に聞かされます。自分のような人間にはついていけるだろうかと不安になってしまい、東洋史学ではなく社会学を専攻することにしました。また京大を選んだ理由のひとつに、文学部で講座を持たれていた梅原猛先生にお会いしたいという憧れもあったのですが、僕が教養部から学部に上がって、文学部の授業を選択できるようになる前に梅原先生は京大を離れてしまい、お会いすることはできませんでした。そして学生生活を楽しむうち、学業よりアイドル研究会の活動に情熱を傾けてしまい、アイドル雑誌の編集者を目指して出版社を受けることになったのです。

ちなみに、講談社勤務時代に梅原猛さんにお目にかかる機会が一度だけあったのですが、別の作家さんの目がある場だったのでサインをお願いすることはできませんでした……ちょっと悔しかったです。

初めての仕事は造花の購入

文三に入ると、まず中澤さんに「いまから東急《とうきゅう》ハンズ（現ハンズ）に行って薔薇《ばら》の造花を買ってきてくれ」と言い渡されました。「どうしてですか？」と聞いたら、編集部の壁に貼ってある、作品のタイトルが書かれた模造紙を見せられます。そこに謎の造花がついていました。

「この造花は重版がかかった印なんだ。最近調子が良くていっぱい重版がかかって造花が足りなくなったから、買ってくるように」と頼まれる……これが僕の文三での初仕事でした。

その模造紙は、講談社ノベルスのラインナップが書き出された、出版に向けての進行状況の確認表だったのです。その模造紙を見れば各タイトルの進行状況が一目でわかるようになっている。つまり進行が悪い編集者を叱咤《しった》激励《げきれい》するためのシステムでした。

そして、重版するとそのタイトルの部分に造花を飾ります。僕が買いに行くことになったのはその造花でした。これは中澤さんがつくり出した文三の文化のひとつ。懐かしいですね……しかし壁の模造紙に貼られた造花は、笑っちゃうくらい隣の部署の人たちに評判が悪かった。中澤さんの次の部長に就任した小田島雅和《おだじままさかず》さんが最初にやった仕事は、その造花制度をなくしたことでした。

ともあれ、営業部はもとより文一とも文二とも違う独特の緊張感と熱気が、中澤さんの存在からもたらされている……文三はそんな編集部でした。

ミステリファンの方々が講談社ノベルスを語るとき、「新本格の仕掛け人」である宇山秀雄さんのことを文三を代表する編集者として挙げることが多いと思います。しかし、僕やあの頃文三にいた編集者たちにとっては、講談社ノベルスそして文三は初代部長・中澤義彦さんがつくり出したものでした。中澤さんが、文三の気風や思想、「文三イズム」の礎《いしずえ》を構築したのです。中澤さんがいなければ、その後の「新本格」も「メフィスト賞」もなかった、と言っても大げさではありません。

文三の根幹を成した、中澤義彦イズム

中澤義彦さんの編集者としての個性は、自らの考えをきちんと言語化して部下に伝える、

というところにありました。だから中澤イズムは伝わりやすかったのだと思います。

僕が中澤さんに教えられていまも大切にしている考えに、「振り子の理論」があります。編集者は振り子のように自らの思考を動かし続けなければならない、という理論。常にさまざまな視点を持て、という教えです。当たり前のことを語っているようですが、これをずっと実践し続けるのは非常に難しい。振り子だから常に振れて、一瞬たりともひとつの考え方に固執《こしつ》してはなりません。さらに言えば両極の見方を同時に持っていなければいけないという理論なのです。

人間は、どうしてもひとつに視点を定めたら、固執してしまうところがありますよね。中澤さんの教えを僕は「固執してはいけない」ということだと理解しています。もしかしたら、本人に聞くと「そんなことじゃねえな、俺が言ってるのは。唐木は相変わらずわかってねえ」なんて言われるかもしれませんが、僕なりにそう解釈しています。思い込みから自由になれ、という思想なんだと。

中澤さんの出版に対する姿勢は「売れるか、売れないかは、出してみなければわからない」でした。自分がどんなに良いと思っても当たらないかもしれない。ダメだと思っても、「もしかしたら」があるかもしれない。だから「本は出してみなきゃわからない」と常に言っていました。

それを象徴するのが「朝令朝改《ちょうれいちょうかい》」という言葉です。「朝令暮《ぼ》改《かい》では遅すぎる、朝令朝改だ」なんて言うんですよ。その結果、周りは振り回されます。

ですが考えてみたら、実は朝令朝改をやれる人はすごいと僕は尊敬しています。人間はどうしても一貫性を維持したくなるものです。一度決めたり言ったりしたことは、多少おかしいなあと思っていても、続けてしまいたい。だってそのほうが楽ですよね。周りの人たちに説明するのも面倒くさいじゃないですか。でも中澤さんは、「これはちょっとまずいな」と思ったその瞬間に、立ち止まって別の方向へ行く。この「朝令朝改」はやろうとしても、意外とできないことです。

「朝令朝改」、それが中澤義彦という人でした。昨日の自分と今日の自分が変わっていても恐れない、という態度。

それはほかの編集者にも共通した資質かもしれません。他社の有名編集者のエピソードなのですが、原稿を読んでいる最中に「どうですか?」と聞くと「もう天才ですよ!」なんて言う。3時間ぐらい経ってさらに読み進んだタイミングで「どうですか?」と聞くと、今度は「まったくダメですよ!」と言う。翌朝になって読み終わった段階でもう一度聞くと「天才ですよ！」。コントみたいで笑っちゃいますが、中澤さんに限らず、優秀な編集者にはそういう気質がある気がします。

僕も中澤さんに、柔軟に視点や考え方をどんどん変えていくことを叩き込まれました。その作家や作品に、同時にいろんな視点から光を当てる。ダメだと思い込んでしまわないで、ほかの見方も探す。だって結局、本は出してみないとわからないんだから。そういうことです。これは文三イズムとして編集部に浸透していましたね。

それから大前提として、前にも述べたように「編集者はとにかく才能を取り扱う仕事なんだ」ということも教わりました。才能とは何か？　その才能を活かすにはどうしたらいいか？　真剣に考えることが、自分の編集の軸になった気がします。僕にとって、最初の編集の先輩として中澤さんと出会ったのは大きかったですね。

作家の才能と、自分の個性を見極める

「振り子の理論」についてさらに補足しますが、僕は「自分の個人的な関心だけで作家をえり好みしないこと」というふうにも解釈していました。編集者が「この作家とはうまくいかない」と思っていても、付き合ってみたらうまくいくこともあります。

ただそうは言っても「自分には向かないタイプの才能」があることは知っておいたほうがいいと、僕は思っています。「この才能をプロデュースできる編集者は自分ではないなあ」と察したときに、それでも無理をして自分が担当しようとすると、作家の才能を曲げることにもなるし、両者にとっても読者にとっても良くないことになってしまうのです。

作家の才能を見極めることと同時に、自分自身を見極めておくことが大事。自分はどういう才能に出会いたいと思っているのか？　どういう作品を世の中に送り出したいと思っているのか？　それをよく理解しておきましょう。

特にこれからデビューする新人作家を担当する場合は、自分がその作品を世の中に出したいという強い意志が必要不可欠です。自分自身はさほど面白いとは感じていないのに、「これは売れそうだから」と新人をデビューさせても、小説の場合はそれが成功するとは僕には思えないのです。

新本格の仕掛け人、宇山秀雄

もうひとり、僕が影響を受けた編集者のことも語っておきたいと思います。もちろん、それは宇山秀雄さんです。宇山さんについてはすでにさまざまな作家の方が語っている『新本格ミステリはどのようにして生まれてきたのか？　編集者宇山日出臣追悼《ついとう》文集』＊4がありますので、僕などがさらに語る必要はないかもしれません。それでもやはりこの人抜きに僕の編集者人生はありません。なんといっても宇山さんは唯一無二の編集者でした。

編集者としての宇山さんを一言《ひとこと》で表すなら、「才能を愛する人」。とりわけ才能の中でも「尖った才能」「異形の才能」を愛する人でした。「才能」に魅入《みい》られた人だった、とすら言えるかもしれません。その反面、世俗的なことにはほぼ興味がなく、小説の中に「不倫」とか「出世」の話が出てくることさえ好きではありませんでした。

こう言うと、エキセントリックな人を想像してしまうかもしれませんが、エキセントリックさやストイックさとはまったく無縁な人で、現場編集者時代はもちろん、部長になっても一般的な就業時間には会社に出てこられないような自由すぎる人でした。ビールをこよなく愛していて、部のメンバーで飲んでいるときも、もう完全に潰れてしまっているのに、まったく帰りたがらないんです。もっと飲みたくて帰宅するのを嫌がる宇山さんを無理やりタクシーに乗せるのも僕ら若手編集者の仕事でした。そんなとき、宇山さんに「大

＊4　2022年刊行、編者は太田克史（星海社）。「新本格の仕掛け人」の異名を取った講談社の名物編集者、宇山秀雄（エディターネーム：宇山日出臣）に捧げる追悼文集。いち編集者の業績を讃えた異例の出版物である。

丈夫ですか？」と訊くと、「ダメです。二泊三日で休みます」と言って本当に三日間会社に来ない。それほどグダグダになってしまっているのに、会社を休んで何をしているかといえば、家でも小説のゲラを読み続けている。そんな人でした。小説のゲラとビールのふたつを常に手放せない人だったのです。「編集者そのもの」というような生き方と、会社員としてはダメな愛すべきところが、矛盾《むじゅん》なく両立している、それが宇山さんでした。そんな人はほかに見たことがありません。

宇山イズムとは何だったのか。僕はやはり「才能と向き合うことを何よりも優先する」ということだったのではないかと思っています。そこに僕は強く影響を受けました。宇山さんの下を離れたあとも、僕は原稿を読むときに「宇山さんならどう読むだろうか」ということを常に意識していました。そんな先輩編集者との出会いも、僕にとって幸せなことでした。

ひとりの作家につき、チャンスは3回

講談社ノベルスは後発レーベルでしたし、売り上げもノベルス界のトップにはまだ追いついていませんでしたが、１９９０年代は「本が売れない」という悩みはほとんどありませんでした。新人の初版でも1万5000部は刷っていた時代でしたから。いまでは小説の単行本は、初版が3000部前後のものも珍しくないでしょうし、重版して1万部に到達すれば万々歳でしょう。隔世《かくせい》の感がありますね。

それでもノベルスブームにはこの頃すでに陰《かげ》りが見え始めていて、ノベルス戦争と呼ばれていた1980年代はもっと初版部数が多かったのです。しかし本全体はまだまだ売れていた時代で、講談社の売り上げは1997年にピークを迎えます。「ガンガン出していこうぜ！」という空気の中で、僕たちは仕事をしていました。

ノベルスでは、シリーズものが大きな柱のひとつでした。シリーズだと、2作目が出たら1作目も重版がかかる可能性が高くなり、販売機会が増やせます。多くの場合は、シリーズものにする前提で作品をつくっていました。

中澤さんによく言われたのは、「シリーズ1作目がうまくいかなかったら、その作家に次も同じシリーズを書いてもらおうとするな」ということ。ですが、「ひとりの作家につき3冊までは失敗しても良い」とも言われていました。本が売れなくなったと言われて久《ひさ》しいいまの出版業界だと考えられないことかもしれません。ただ失敗したときには、同じシリーズでリベンジしようとしてはいけない。結果が悪かったら、次は別の新作をお願いしましょうと。それこそ中澤イズム、「朝令朝改」の精神ですね。

作家としては当然自分の作品を大事にしたいし、キャラクターにも愛着があるから、同じシリーズで続けたいと考えます。そのときに「いや、そうじゃないんです」と説得するのは編集者の役割です。

実際、シリーズものの小説で、1作目がうまくいかなかったのに2作目で盛り返したケースって、僕はほとんど知りません。これがゲームだったら、1作目はそれほどでもないけど2作目は当たるケースもあるでしょう。有名なところだと「ストリートファイター」シリーズもそうですよね。ただ、小説においては2作目での逆転ホームランは起きにくい。

そう考えると中澤理論は正しくて、その作家の才能に3回きちんと全力で向き合って作品を出すためには、売れないシリーズを続けることはもったいないのです。

編集者人生を変える、運命の電話

忘れもしない1994年、僕が29歳のゴールデンウィークのことです。連休の狭間《はざま》の平日、社内にもさほど人がいない中、暦《こよみ》どおりに出社していると、編集部に電話がかかってきました。

相手の問いは「いまでも出版界には持ち込みという制度は残っているんでしょうか?」というもの。YESかNOで答えられる、簡潔な質問でした。多くの小説編集部では、小説の直接投稿、つまり持ち込みを受け付けてはいません。ただし例外もあるにはあります。

そこから、こんな会話が続きました。

「持ち込みという制度が残っていないわけではありませんが、新人賞に応募していただくのが普通ですよ。新人賞に応募しないのはなぜですか?」

「当初は新人賞に応募しようと思っていたのですが、原稿用紙1000枚の小説を書いてしまい、どの賞の応募規定も超えてしまうのです。800枚まで削ってみたものの、これ以上削ると作品としてもはや意味のないものになってしまうので、その段階で諦《あきら》めてお電話してみました」

新人賞に応募できないから、持ち込みについて尋ねている。非常に筋の通った話です。

「そうですか。では、何か面白いトリックでも思いついたのですか」

「うーん、トリックですか。トリックはあるような、ないような」

「ではどんな作品なのでしょう?」

「民俗学を題材にしたミステリです」

僕は民俗学には割と興味がありました。

「それじゃあ送ってみてください。ただし、こういう形なので、2、3ヶ月、場合によっては半年くらいお待たせすることになると思います」

そんなふうに話して自分の名前と編集部の宛先を告げ、電話を切りました。ここでお返事に長時間かかると言ったのは、もちろん意地悪をしたかったわけではありません。マンガの持ち込みの場合は、その場で作品を評価することができますが、小説だと長編作品を読み終わるまでには最低でも数時間かかります。通常の仕事の合間にその時間を確保するのはなかなか難しいので、そういう答え方にならざるを得なかったのです。

この電話で相手が開口一番「小説を書いたので読んでください」と言ってきた場合、もしかすると僕は断っていたかもしれません。そういう電話は当時少なくなかったですから。しかも原稿用紙800枚。ですが、電話での受け答えが非常に丁寧でしっかりされていて、僕はその電話の主に好感を抱きました。ちなみに原稿用紙800枚というのは、ノベルスにした場合400ページぐらいのボリュームになります。当時のノベルスの平均的なページ数は240ページぐらいでしたから、あまり例のない長大な作品ということになります。

そしてゴールデンウィークが明けて出社すると、僕の席には重い段ボール箱が届けられていました。普通、原稿は封筒に入れて送られてくるものなので、びっくりしました。それが件《くだん》の電話の主からの投稿作品だったのです。

封を破り、分厚い原稿の束を取り出します。

「小説 姑獲鳥《うぶめ》の夏」――1ページ目には、そのように記載されていました。

京極夏彦の衝撃のデビュー作は、こうして僕という編集者のもとへやってきたのです。

『姑獲鳥の夏』との遭遇

綺麗に印字された原稿だったので、手に取って「まあ、ちょっとだけ目を通して、あとは時間のあるときに読もう」と思いページをめくりました。すると、原稿から目を離せなくなりました。途中で読むのを止めることができず、その日の仕事は後回しにして、家にも持ち帰って夢中になって読み続け、その日のうちに読み終えたのを覚えています。

原稿から顔を上げて最初に頭をよぎったのは「これはすでに発表されている作品を持ち込んできたのではないか」という疑念でした。それほど、完成度が高すぎたのです。

翌日、勢い込んで京極さんのお宅に電話をすると、ご家族の方曰く「1週間ほど出張に行っております」とのことで、またあらためてご連絡することになりました。その1週間は、とにかく待ち遠しかったですね。

1週間後に電話をして京極さんと連絡が取れたとき、真っ先に僕は「この『姑獲鳥の夏』は本当に自作未発表作品でしょうか」と尋ねて、疑念がただの杞憂だったことに安堵しました。

それから、出版部長の小田島さんに「こういう原稿が届きました、傑作です。ぜひ出版させてください」とお願いして許可をもらい、京極さんに初めて会いに行きました。

よく「京極さんと初めて会ったときの印象はどうでしたか?」と聞かれるのですが、不思議なほど特別な印象はないのです。喫茶店で初めて京極さんと対面したときには「ああ、やっぱりこの人があの小説を書いたんだなあ」と、とにかく腑《ふ》に落ちるような思いでした。打ち合わせを始めると、さらにその思いは強まりました。ただ、のちに京極さんが講談社の販売部に来られたことがあるのですが、「入口のところに死神のように怖そうな人が立っているぞ」「あの人は何者だ」と大騒ぎになったそうです。そういう話を聞くと「あれ、僕の感想のほうがずれていたのかな」とちょっと思いました。

お会いしてから思ったのは、「この人の次の作品も絶対に出したい」ということ。『姑獲鳥の夏』はノベルスとしては圧倒的に長い作品でしたから、まだその時点では売れるかどうかはわかりませんでした。そのことは京極さんにも正直に言って「でも僕は大好きなので、ぜひ次の作品も出したいと思っています」とお伝えしたのを覚えています。僕は純粋に、彼が書く次の作品を読みたかったのです。

ちなみに次の作品については、『姑獲鳥の夏』に近い感じのものはつくれますか？」という依頼をしました。「近い感じ」といっても、『姑獲鳥の夏』に始まるシリーズの続きを書いてください、という依頼ではありません。民俗学がモチーフの本格ミステリというくらいの意味でした。シリーズが長く続いていることをご存じの読者にとっては、ちょっと信じられないかもしれませんが、その時点で僕は『姑獲鳥の夏』に続きがありうるとはまったく思っていなかったのです。作中に登場する人物たちは、あくまでこの作品の仕掛けや構造のために用意されており、完璧な形で完結しているので、もう一度登場させることは不可能だと思い込んでいました。ですから、次の作品として『魍魎《もうりょう》の匣《はこ》』[*5]が手渡されたときは、まさに「目から鱗《うろこ》が落ちる」ような衝撃でした。

*5 『姑獲鳥の夏』刊行の翌年、1995年の1月に刊行。京極夏彦の評価を決定づけたといえる雄編で、森の中の〝巨大な箱型建築物〟をめぐる真相は驚天動地のインパクト！ 第49回日本推理作家協会賞・長編部門受賞の栄冠を得た。

京極夏彦の底知れぬ才能

『姑獲鳥の夏』を講談社ノベルスにパッケージングしていくにあたって、作家としてのプロフィールや著者近影《きんえい》などを京極さんにお願いしてご用意いただいたのですが、そこでも驚かされることになります。

ことごとく、作品のイメージに合ったものを出してくださるんです。そのとき「この人はプロデューサー感覚を持ちながら、作品をつくっているんだな」ということが、よくわかりました。

ですから打ち合わせにおいては、作家・京極夏彦の本をつくるために、プロデューサー・京極夏彦と編集者の僕が語り合って、いわばその3人で出版活動を行っているような感覚があったのです。

そもそも、『姑獲鳥の夏』の持ち込み原稿も、いま現在、読者が手に取っている形に極めて近いものでした。その段階ですでに、講談社ノベルスの中にも挿入されている鳥山石燕《とりやませきえん》の姑獲鳥の絵も、添えられていました。

その後の京極作品を特徴付けている、文章がページをまたがない独自のスタイルは、『姑獲鳥の夏』で出版を経験したあとの2作目から早くも確立されています。

僕が不思議に思うのは、京極夏彦という作家はデビューする以前から、完璧に京極夏彦であり、作品のクオリティやスタイル、自己プロデュース、すべてにおいて完成されていたということです。こんな作家にはほかにお目にかかったことがありません。

さらに『姑獲鳥の夏』を刊行する前に、すごく嬉しいことがありました。それは、ノベルス版の帯に綾辻行人さん、法月綸太郎さん、竹本健治《たけもとけんじ》さんが極めて力強い推薦文を寄せてくださったことです。刊行前に本格ミステリを牽引《けんいん》するお三方がこの作品を大変高く評価してくださったことには本当に勇気づけられました。あの推薦文をいただいたときの感激と感謝の思いを、僕は一生忘れることはありません。

信頼できない語り手・関口という存在

実際に『姑獲鳥の夏』が出版されると、あっという間に最初の重版がかかりました。そのときに思ったことは、「成功したなあ」ではなくて「ああ、この作品を好きになってくれる人が、世の中にはこんなにもいたんだ。僕は孤独じゃないんだな」という安心感でした。初版が発売された段階では、刷った冊数はわかっても、売れた冊数はわかりません。重版がかかるということは、初版がしっかり売れたという明確な結果なのです。だからこそ、

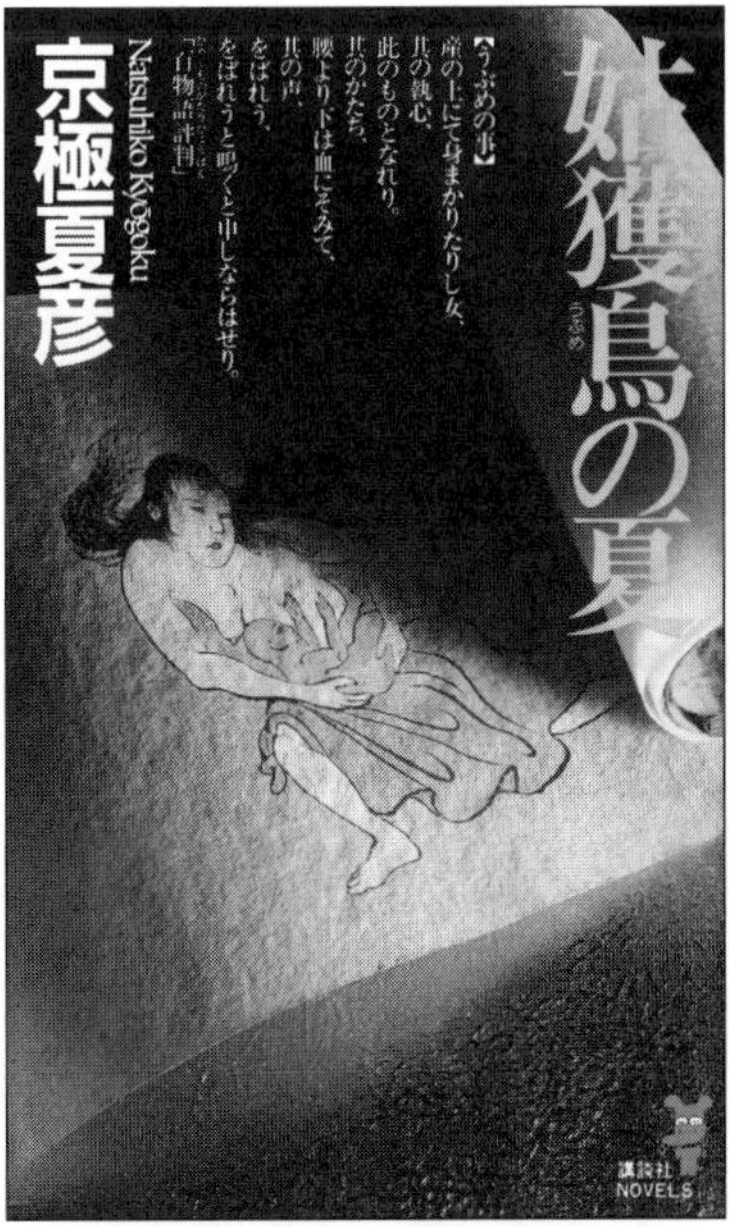

京極夏彦『姑獲鳥の夏』

（講談社ノベルス／1994） 装幀＝辰巳四郎

帯文

「目眩く」綾辻行人
「巧緻」法月綸太郎
「最強」竹本健治
三氏絶賛！

『姑獲鳥の夏』を読んだこの夏の日の目眩《めくるめ》くひとときを、僕は生涯忘れないだろう。綾辻行人
日本的な家系の悲劇を剔出《てきしゅつ》する巧緻なプロット！　ロス・マクドナルドの最盛期の作品にも引けをとらない。法月綸太郎
近年勃興したミステリ・ルネッサンスは、ここに到って、ついに最強のカードを引きあてた。竹本健治

重版がかかることには大きな意味がありました。

【注意！ ここから63ページまで『姑獲鳥の夏』のネタバラシがあります】

1994年の鮎川哲也賞《あゆかわてつや》[*6]の授賞式の会場でも、作家のみなさんが『姑獲鳥の夏』の話で盛り上がっていました。この授賞式には本格ミステリの作家が多く集まります。そこでの評判を聞いて、ミステリ界の精鋭《せいえい》たちにも認められていると実感できたんです。ただ、手放しで絶賛というよりは、「すごい作品ではあるけれど、これは本格ミステリなのだろうか」という戸惑いの声もありました。

それは、作品のワトソン役の関口巽《せきぐちたつみ》という「信頼できない語り手」を認めて良いのか、またその彼が今後の作品でも登場するであろうことへの戸惑いだった、というご意見を伺ったこともあります。もちろんミステリにはそれまでにも「信頼できない語り手」という手法は存在していたのですが、関口をそれらと同列に扱って良いのかと考えた方もおられたようでした。

＊6　東京創元社が主催する公募の新人賞。〝本格派の驍将〟鮎川哲也の名を戴く新人賞らしく、歴代受賞作は本格ミステリが多数を占める。第1回（1990年）受賞作は芦辺拓『殺人喜劇の13人』。受賞者に加納朋子、相沢沙呼、青崎有吾、今村昌弘らがいる。

でも、僕はそう聞いたときはかえって嬉しくなりました。僕が『姑獲鳥の夏』を評価したのはまさにその点だったからなのです。

関口という信頼できない語り手。彼には目の前にあった死体が見えなかったというのが、作中の大きな仕掛けになっています。目の前にあるものが見えない。これは我々普通の人間でも起こりうることですよね。見落としがない人間など、存在しません。その上、自分が見たくないものには目を向けませんから。

ところがそれまでのミステリは、語り手の見落としは問題にされないという暗黙の了解がありました。叙述《じょじゅつ》者は特別な理由(たとえば、実は語り手が犯人であり、自分の犯行がばれていない段階で、自分にとって不利なことを述べたくなかったなど)がない限り信頼して良いことにされていたのです。

しかし、関口という語り手は本格ミステリの登場人物というよりは、明治以来の日本の近代小説に登場してくるような男だったわけです。つまり、自我に悩む男。そういう語り手を持ってくることによって、『姑獲鳥の夏』という作品はミステリにとっての暗黙の了解を破ることになったのです。

また、「ミステリ非文学論」というものがあります。ミステリの登場人物は作中で成長せず変化しないのでいわゆる「文学」ではない、という主張です。

ところが、『姑獲鳥の夏』の場合は、関口は信頼できない語り手だけれども、作中で大きく成長していきます。関口が自らの大きなトラウマと対峙《たいじ》し、克服することによって再び自分の人生を歩みだそうとするラストには感動しました。関口の苦悩は僕が以前から抱いていたものと近いとすら思ったのです。だからこそ、僕はこの小説を評価しました。

こうした点を逆に「ミステリとしては問題ではないか」とする考え方は全然あってもいいですし、そうした議論が起こるからこそ良い小説だと僕は思います。当時『姑獲鳥の夏』の出現に戸惑っていた人たちは、まさに真正面からこの作品を捉えていたとも言えるでしょう。

そうした『姑獲鳥の夏』への戸惑いも、京極さんが新作を次々に出すことで一変。京極さんは『魍魎の匣』と『狂骨《きょうこつ》の夢《ゆめ》』*7、あの分厚い本をなんと一年で2冊も出したのです。翌年の鮎川賞の授賞式のときには、「やっぱり京極夏彦はすごい！」と会場に集まったミステリ作家のみなさんの評価はほぼ一致していました。『姑獲鳥の夏』には批判的だった方々

*7　1995年、京極夏彦は1月に『魍魎の匣』を、5月に『狂骨の夢』を立て続けに刊行し、ミステリファンの度肝を抜いた。『狂骨の夢』のヒロインと呼べる人物が見る、死んだはずの夫が何度も帰ってくるたび殺して首を切っている、という夢（?）は強烈。

も、『魍魎の匣』が刊行されると評価が完全に変わっていたのを覚えています。
京極夏彦という存在は、作家だけでなく読者に与えた影響も大きかった。読者から「自分は作家志望だったけれど、京極さんのデビュー作を読んで完全に諦めました」なんて声も届いていたくらいです。なんと表現したらあの京極夏彦という作家の与えた衝撃を語れるのか、僕にはいまでもわかりません。

【『姑獲鳥の夏』のネタバラシはここまで】

30〜35歳

メフィスト賞で多くの才能と出会う

メフィスト賞ができるまで

京極夏彦という才能と出会ったことは、講談社ノベルス全体にも大きな影響をもたらしました。その最たるものが、『メフィスト賞』です。もしかしたら京極さんのような才能がまだ野に埋もれているかもしれない、と思った宇山さんが、年3回の不定期刊誌『メフィスト』[*8]で講談社ノベルスの原稿募集を始めたのが発端でした。ちょうど文三の部長が宇山

＊8　小説現代増刊「メフィスト」は、1994年4月より年3回発行されていた小説誌。創刊以来、〝新本格ミステリの牙城〟というイメージを常にまとっていた。

さんに交替したタイミングとも重なります。始まったときには新人賞という形での募集ではなく、あくまで「講談社ノベルスの原稿募集」でしたが、メフィスト賞ができる前から編集者による座談会は行われていて、雑誌に掲載されていました。

講談社ノベルスの原稿募集が始まって、僕が担当していた森博嗣さんのデビューが決まったときに、宇山さんに新人賞創設の提案をしました。

「森さんの本の『著者紹介』のところに、○○賞を受賞してデビューって書いたほうが通りがいいんじゃないですかね。そのほうがいろいろなところで話題にしてもらえるかもしれませんし」

宇山さんはまんざらでもない感じで「賞の名前はどうするの」と聞き返してきたので、「雑誌『メフィスト』で募集しているんですから、メフィスト賞でいいのでは」と提案したら、「うん、それでいこう」とすんなり話が進みました。数日後には、さらに上の局長の許可も取れて社内でもOKとなっていましたね。

僕は、さすがに新人賞をひとつ創設するんですから、何らかの面倒な社内的手続きがあるに違いないと思っていたのに、あまりにも即決だったので驚きました。じつは新人賞設立にあたっての特別な社内規定は存在していなかったんです。もう講談社を退職して数年経つので断言はできませんが、いまも新人賞を創設するにあたっての社内規定みたいなものはないはずです。

こうした経緯で、文三にとって、そして講談社ノベルスにとっての、初めての新人賞が誕生しました。

異例ずくめの新人賞

講談社には「群像新人文学賞」や「小説現代長編新人賞」など文芸関係の新人賞がいくつもあります。そうした賞と違い、メフィスト賞には賞金もなければ授賞式もありません。選考会にあたるのは、『メフィスト』誌上での「巻末編集者座談会」のみで、その座談会でいきなり受賞作が決まるシステムでした。

賞というスタイルをとったきっかけは僕の提案だったかもしれませんが、この賞には宇山さんの従来の新人賞に対する長年の思いが反映されています。

それまでの新人賞は選考委員による合議制で授賞が決定していました。合議制だと、すごく光るところのある作品であっても、欠点を指摘する選考委員が現れると受賞はできず、結局はバランスのとれた作品が受賞しやすくなる。「それじゃあ『尖った才能』が世に出ないでしょ」と宇山さんは考えていたのです。

メフィスト賞の一番良いところは、「自分がこの作品を出したい」と思ったときには、著者がデビューするまでその編集者が責任を持つという点です。そして、作品の評価は編集者自身への評価となって跳ね返ってきます。編集者は自分がどのような新人をデビューさせ、どのような作品をヒットさせたかで、評価されるわけですから。編集者にとっては、強い覚悟が必要な賞なのです。

僕はそういう姿勢でメフィスト賞の座談会に臨んでいました。ほかの編集部のメンバーも同じ気持ちだったと確信しています。だから僕は、メフィスト賞という賞に自信を持っていましたし、賞に携わることが本当に好きでした。会社を辞めたいまでも、日本で最強の小説新人賞はメフィスト賞だと思っています。

編集部の座談会を公開するアイディア

森さんのデビューに至るまでの経緯も、メフィスト誌上の編集者座談会ですべて公開されていました。この座談会は、僕と同期入社の編集者がまとめていました。

彼はもともと、週刊現代の編集者だったんです。ですから、どうすれば読者に座談会を面白がってもらえるのか、ということを大いに意識していたし、実際にプロデュースする才能もありました。座談会は彼の「作品」であったと言えるかもしれません。

編集者には、いろんなレベルでのプロデュース力が求められます。作品レベル、作家レベル、さらには賞の運営レベルまで。メフィスト賞をどのように応募者にイメージしてもらうのが一番効果的だろうかと考えて、「編集部が楽しく盛り上がってる姿を見せよう」という方向を選んだ。実際にも、文三には間違いなく異常なほどの熱気がありました。編集部の持つ熱気が、我々の一番の武器でした。

誌面では、裏方の人間が話をしているというリアリティを出しつつも、面白くするために脚色をかなり加えています。実際の座談会ではもっと過激なことを率直に言い合っているんですが、初校（実際に雑誌に掲載する体裁に整えられた原稿）になった段階で、「これはまずい」とみんな慌てて消していました。

いまの時代に読み返すとちょっと過激すぎる部分もありますが、座談会が盛り上がっていたからこそ、いろんな人が次から次へと応募してくれるようになったのは間違いないでしょう。当時のほかの新人賞では、賞に携わる編集者一人ひとりのキャラクターや考えが応募者に伝わることはなかったので、新鮮だったのだと思います。

実際いろいろな作家から「メフィストは巻末座談会から読む」とよく言われたものです。座談会上で作家のデビューまでの経緯を読者が見ているので、デビューした段階ですでにファンがついているケースもありました。そういったところもメフィスト賞の大きな特色のひとつです。

読めば楽しい座談会ですが、参加する編集者にとってはいわば、勝負の場でした。メフィスト賞には締め切りがなく、年間の授賞作数も決まっていません。「応募作品を読んで出版したい、と思った編集者が部長を説得できたらその場で授賞決定」というシステムのため、部長の宇山さん好みでない作品でも、編集部員が宇山さんを強引に説き伏せて授賞させることもよくありました。

編集部全員で熱く「作品論」を交わすのはとにかく楽しかった。僕にとっては講談社時代に一番楽しかった仕事が、このメフィスト賞座談会でした。

森博嗣がデビュー作を書くきっかけ

メフィスト賞の第1回受賞作、森博嗣さんの『すべてがFになる』が生まれるまでには、紆余曲折《うよきょくせつ》がありました。森さんは最初の投稿作『冷たい密室と博士たち』[*9]のとき明らかな才能を感じさせる書き手でした。理系学生たちの生活や考え方が非常にリアルに書けていて、そこがすごく面白かった。けれども、トリックが大向こう受けするものではないので、デビュー作としては売り出しにくい。宇山さんも同意見で、どうしようかとふたりで悩んでいました。そんな中、次の投稿作『笑わない数学者』[*10]が送られてきます。これは作中の登場人物がたいへんに魅力的なのだけれど、途中でトリックがわかってしまうのではないかという懸念点がありました。デビュー作としては推しきれない。この作品の魅力はそのトリックではないとわかっていても、そこで評価されてしまっては、作家にとっても作品にとっても良くありません。僕と宇山さんはさらに悩みました。

あるとき、電話で森さんが宇山さんに訊ねたそうです。「宇山さんはどういう作品が好みなんですか？」と。宇山さんは「僕は断然、孤島ものです」と答えた。それを聞いた森さ

＊9 『すべてがFになる』（1996年4月刊）に続いて発表されたS&Mシリーズ第2弾（同年7月刊）。衆人環視の実験室内で2人の大学院生が刺殺されていた謎に、国立N大学工学部建築学科助教授の犀川創平が挑む。

＊10 1996年9月に刊行されたS&Mシリーズ第3弾。数学者の館の庭から魔法のように消えた巨大なオリオン像は、ふたつの死体を携えて舞い戻る……。森博嗣はデビューの年に同シリーズを3冊矢継ぎ早に発表し、瞬く間に人気作家の仲間入りを果たす。

森博嗣『すべてがＦになる』

（講談社ノベルス／1996）　装幀＝辰巳四郎

帯文

これぞ本格ミステリ！
綾辻行人・法月綸太郎・我孫子武丸・有栖川有栖 各氏絶賛！
「メフィスト賞」第１回受賞作！

内容紹介文　14歳のとき両親殺害の罪に問われ、外界との交流を拒んで孤島の研究施設に閉じこもった天才工学博士、真賀田四季《まがたしき》。教え子の西之園萌絵《にしのそのもえ》とともに、島を訪ねたＮ大学工学部助教授、犀川創平は１週間、外部との交信を断っていた博士の部屋に入ろうとした。その瞬間、進み出てきたのはウェディングドレスを着た女の死体。そして、部屋に残されていたコンピュータのディスプレイに記されていたのは「すべてがＦになる」という意味不明の言葉だった。

んが書いたのが、孤島ものの『すべてがFになる』という作品だったのです。

シリーズの時系列順では本来4番目となる事件でしたが、順番を変えて最初の事件につくり直してもらいました。僕は読んだ瞬間、「宇山さん、これでいきましょう！」と断言しました。宇山さんも完全に同意見で、ふたりで自信を持ってデビュー作、そして「講談社ノベルスの原稿募集」から出版する第1回作品にすることを決めたのです。

デビューが決まる前から森さんにはお会いしていて、初めて会ったときのことは鮮明に覚えています。まるで禅のお坊さんのような、思弁《しべん》的で、なおかつ求道的な雰囲気の人だと思いました。どんな話題について語っても、森さんは常に独自の視点を持っていたのも印象的です。それに大学でのお仕事がぎっしり詰まっていて忙しいのに、いつもとても丁寧に応対してくださったことも記憶に残っています。

直接お会いした時点で、僕はすでに森博嗣ファンになっていました。

清涼《せいりょう》院流《いんりゅう》水《すい》の登場、メフィスト賞の印象

森博嗣さんのデビュー決定の報告もあった第3回のメフィスト賞座談会で話題になったのが、『1200年密室伝説』という作品。これがのちに改題され、清涼院流水さんのデビ

ュー作になります。座談会では、みんなが否定しているんですよ。編集部員のほぼ全員が「こんなのありかよ」と非難囂々《ごうごう》。ただ、清涼院さんの担当となる編集者だけは悪口を言っているうちにだんだん褒める形になっていって、「じゃあ俺が編集担当するのかな?」みたいな流れで担当することが決まっていました。

清涼院流水さんがメフィスト賞を受賞して伝説的な問題作と名高い『コズミック 世紀末探偵神話』[*11]でデビューしたとき、ミステリ界からは大バッシングがあったというふうに言われていますけど、面白がっている人も結構いたという印象です。面白がっているといっても大絶賛というわけではないんですが、「すごい! めちゃくちゃな作品が出たね!」みたいに話題にしてくださっている方も多かったと記憶しています。

僕は担当編集ではないものの座談会で『コズミック』を読んで、この作品にはやはり否定的でした。なにしろ結末に納得がいかなかったんです。あれだけ長大な作品を読んだのですから、さぞかしすごいラストが待っているのかと期待すると……。僕ならもっと破滅的でニヒリズムの極みのようなラストにするのに……と、勝手にも思っていました。

*11　1996年9月刊。年間1200人を密室首切り殺人のえじきにすべく動き出した「密室卿」の真の狙いとは? 日本探偵倶楽部(通称JDC)なる一種のアイドルグループをプロデュースしたことは、後続の若手作家に大きな影響を与えた。

僕の小説観には合いませんでしたが、ただはっきり言っておかなければいけないのは、その存在がのちの世代に与えた影響は非常に大きかった。「流水さんに影響を受けました」という若手の有望な作家がそのあと何人も登場していますから。彼の功績は間違いないものですし、僕にはそれを予見できませんでした。そういう意味では、清涼院流水という作家を世に送り出したことも、メフィスト賞にとっては大きな意義があったと思います。

そしてメフィスト賞は、「どんな作品が出てくるかわからない賞」という印象を持たれるようになりました。とはいえ編集部には、授賞を決めた作品によって賞がどんな印象を持たれるか、さほど気にしている人間はいませんでしたし、長期戦略も特になかったのです。とにかく誰かが「出版したい」と強く思った作品を出す、その原則以外のことは考えていませんでした。

メフィスト賞作品3冊同時刊行

1998年には、乾《いぬい》くるみさんの『Jの神話』[*12]、浦賀《うらが》和宏《かずひろ》さんの『記憶の果て』、積木《つみき》

*12 1998年2月刊。全寮制の名門女子校で続発する変死事件の真相は誰にも予測不可能……？『記憶の果て』『歪んだ創世記』と3冊同時刊行され、ミステリ業界の話題をさらった。

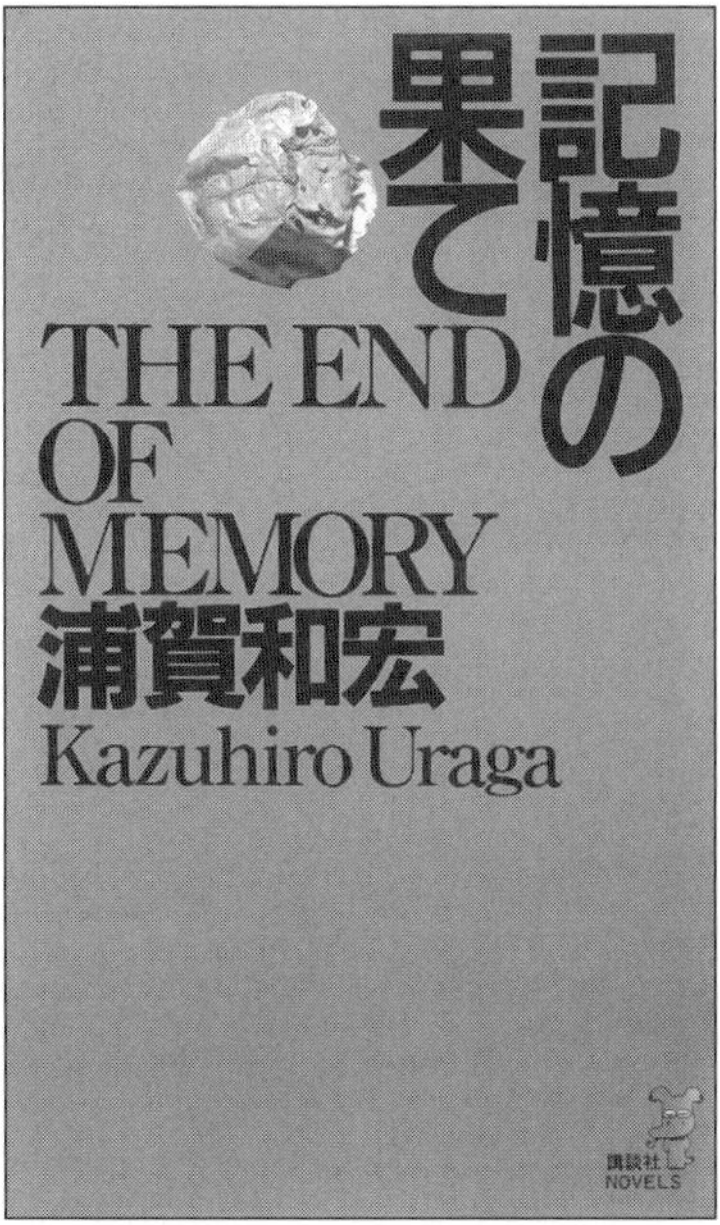

浦賀和宏『記憶の果て』

（講談社ノベルス／1998）　装幀＝辰巳四郎

帯文

本書は、先行作品に対する敬意ある挑発である。
――京極夏彦

内容紹介文　エンターテインメントの未来を照らす快作！
亡き父の書斎に入った安藤直樹は奇妙なコンピューターを発見する。電源を入れた途端、モニター上に自己紹介の文が流れ出した。このパソコンは「何者」なのか？

鏡介《きょうすけ》さんの『歪《ゆが》んだ創世記』[*13]がメフィスト賞を受賞し同時刊行されました。販売戦略的には別々に出したほうがいいのでしょうが、どうせだったら前例のないやり方をして、読者を驚かせようという考えが宇山さんにあったのだと思います。

この3作同時刊行の中で、僕が担当したのは浦賀和宏さんの『記憶の果て』です。僕の小説観にぴったり合った作品でした。語り手である主人公の中に、大きな不調和が起こり、それを解決することが自らの変化につながっていく物語です。謎の答えも極めて印象に残るもので、僕は「この若さでこんなすごい作品を書く人がいるんだ！」と驚きました。浦賀さんは受賞した当時まだ19歳だったんです。

ただこの作品に関しては、ミステリではないという評判が多かったです。どちらかというと私小説に近いんじゃないかと。確かにミステリともSFとも青春小説ともいえないような不思議な魅力のある作品だったのです。『記憶の果て』は刊行からだいぶ時間が経ってから再評価がなされ、講談社文庫で再刊もなされました。

しかし、刊行当時は評価してくれる声もあまり多くなくて、正直、悔しい思いをしたの

*13　1998年2月刊。絶海の孤島に建てられた屋敷を舞台に、全能なる殺人鬼が〝歪んだ天地創造〟の奇跡を起こす……？賛否が大きく分かれたメタミステリの問題作。

です。浦賀さんという才能を、僕は世の中に伝えきれなかった。しかし、後任の担当者も浦賀さんの才能を信じてくれて、講談社ノベルスからはその後も作品が刊行され続けました。そうしているうちに、他社で『彼女は存在しない』[*14]が刊行されてブレイク。そのときには、本当に良かったと思いました。どんでん返し的な枠組みが明瞭な作品なので、文庫で仕掛けたときにヒットにつながったのでしょう。

先述した中澤さんの「振り子の理論」を引き合いに出すと、「この作品は素晴らしい」と思ったとき、振り子は止まってしまいがちなんです。もうこれだけ自分が面白いと思っているんだから、世間でも受けるに違いない、と思って考えるのを止めてしまう。でも、編集者の振り子は止まってはいけない。振り子を動かしいろいろな見方をして、「どうやって浦賀和宏を世に送り出していくか」について僕はもっともっと多面的に考えるべきでした。

生成AIがこれだけ話題になった現在、『記憶の果て』で書かれているテーマはさらに輝きを増していると思います。でも、もうそんなことを浦賀さんと語り合うことはできません。浦賀さんは41歳で若くしてお亡くなりになってしまいました。自分よりも歳が若い担

*14 2001年、幻冬舎刊。多重人格テーマに挑み、トリックの切れ味も鋭いノンシリーズ長編。単行本刊行時も、2年後に文庫化された際も注目されなかった。が、2010年代に入ってから書店サイドの熱心な後押しを受け、みるみる重版がかかりだした。

当作家の死に立ち会うのは、本当につらいものです。

一番好きな、名探偵コンビ

その次に僕が担当したメフィスト賞作品は、第14回の古処《こどころ》誠二《せいじ》さん『UNKNOWN』。現役自衛官コンビが密室の謎に挑む作品です。

編集者人生を振り返って、僕が担当してきた中で一番好きな名探偵とワトソンのコンビを選ぶとすると、この『UNKNOWN』シリーズの朝香《あさか》二尉と野上《のがみ》三曹のふたりになります。固有名詞をすぐ忘れてしまう僕でも、ちゃんと自衛官としての階級まで覚えているくらい、僕はこのふたりが好きなんです。

まず語り手である野上三曹の人物造形が素晴らしい。通常のワトソン役とはかなり違ったキャラクターなのですが、普通の自衛官が普段どういうことを考えて業務にあたっているのか、ということがしっかり描けています。さらに名探偵役の朝香二尉が実に格好いい。

本格ミステリファン以外にも受けそうな、よくできた作品です。

ただ、古処さん自身は、その後は太平洋戦争に関心を向けておられます。現代で太平洋戦争について書くことを自らの使命としている作家は多くないですし、「人にとって『死』

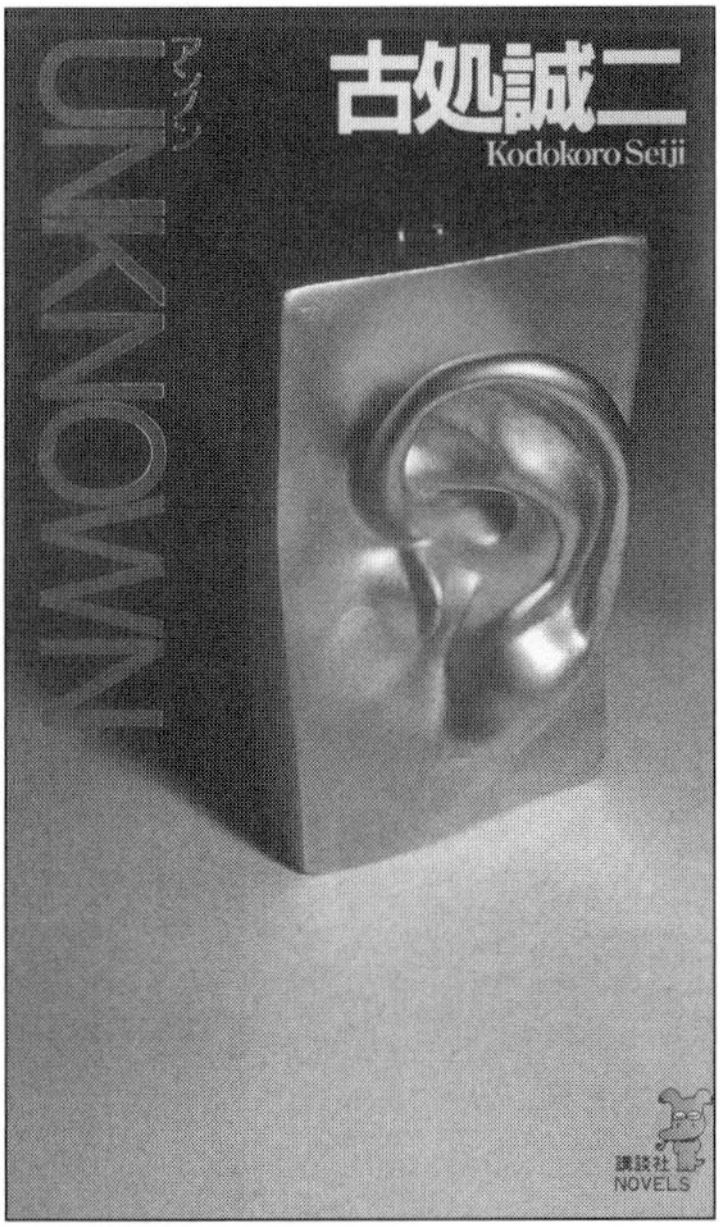

古処誠二『UNKNOWN』

（講談社ノベルス／2000） 装幀＝辰巳四郎

帯文

メフィスト賞に異変!?
熱く端正な本格ミステリ。

内容紹介文 第14回メフィスト賞受賞作。

侵入不可能なはずの部屋の中に何故か盗聴器が仕掛けられた。密室の謎に挑むのは防諜のエキスパート・防衛部調査班の朝香二尉。犯人の残した微かな痕跡から、朝香は事件の全容を描き出す。完璧に張り巡らされた伏線！ 重厚なテーマ性！ リアリティ溢れる描写力!! 熱く、そして端正な本格ミステリが登場した!!

とは何か」というテーマとミステリ的な謎を両立させるという難しい試みにも挑戦されています。

でも、自衛隊関連のニュースを耳にするたびに「この件を朝香二尉ならどう考えるだろうか」などと僕はいまでも考えてしまうのです。

古泉《こいずみ》　迦十《かじゅう》さんの『火蛾《ひが》』

僕が文三の部長になる前、最後に担当したメフィスト賞作品が古泉迦十さんの『火蛾』です。この作品で描かれるイスラーム神秘主義の修行者の世界には、ファンタジーではないけれども日常の論理が入り込まない異世界的な魅力があって、僕はすごく惚れ込みました。

舞台は12世紀の中東。修行者たちのあいだで起こる密室殺人を描いた物語です。どのようにパッケージングするか考えたときに、作品のテーマがイスラーム神秘思想だから、徹底してノベルスっぽくない装幀に仕立てることにしました。

まず、紙を変えたんです。講談社ノベルスはカバーに傷がつきにくいように、ＰＰ（ポリプロピレン）加工を施しているのでツヤ感があるのですが、作品の雰囲気に合うざらっと

古泉迦十『火蛾』

（講談社ノベルス／2000）　装幀＝北見隆

帯文

かつて誰も見たことのない
本格世界が展開する。

内容紹介文　12世紀の中東。聖者たちの伝記録編纂を志す作家・ファリードは、取材のため、アリーと名乗る男を訪ねる。男が語ったのは、姿を顕《あら》わさぬ導師と4人の修行者たちだけが住まう山の、閉ざされた穹廬《きゅうろ》の中で起きた殺人だった。未だかつて誰も目にしたことのない鮮麗な本格世界を展開する。

した質感の紙を選んでカバーに使用しました。

それから講談社ノベルスの本格ミステリ系の作品はほとんど辰巳四郎《たつみしろう》さんが装幀を手がけていたんですけれども、『火蛾』は北見隆《きたみたかし》さんにお願いしました。北見さんは幻想的かつアイディアのある装幀の単行本を何冊もつくっておられたので、ノベルス感を薄めるためにもお願いしてみようと思いついたのです。

そうしたら北見さんも、全力でこちらの思いに応えてくださり、もうこれ以上ないクオリティに仕上がりました。僕はデザインを受け取った瞬間、こんなに作品のイメージに合った装幀はないと胸が熱くなりました。いまでも好きな装幀のひとつです。

刊行すると『火蛾』はミステリ界で評価を受けて、多くのミステリ・ベスト10にもランクインしました。ただ、なかなか重版はかからなかった。いま振り返ると、時代の先を行きすぎたというか、当時の日本にはまだイスラーム神秘思想は馴染みが薄すぎたのかもしれません。

爆発的なヒットには至らなかったのは、作品の舞台が海外で、日本人がひとりも出てこないことも要因として考えられます。ノベルス界では「日本人が出てこない作品は売れない」と昔からよく言われていました。あまりにも自らの日常からかけ離れた世界が描かれると、読者が作品世界に入るきっかけをつかみにくいんです。これは日本のミステリ編集者のあいだではほぼ常識で、「日常」にはあまり関心のなかった宇山さんですらそう認識していました。ですが『火蛾』には日本人が出てくる必然性は、ひとつもありません。日本人を無理やり登場させるのはおかしいし、不要だと思ったのです。僕は、この作品ならそうしたハードルがあっても読者に届くはずだと信じていました。

いまは時間が経って、この作品で描かれた舞台や風俗習慣などに対する日本人の知識は増えているのではないでしょうか。中東地域に対する関心も刊行当時よりは高まっているように思われるのです。『火蛾』は刊行後四半世紀近くが経ってから、昨年はじめて講談社文庫になりました。幸い売れ行きは好調なようです。

実は、この話には続きがあります。思いがけない展開が起きて、僕は再び古泉迦十さんから原稿をいただくことになったのです。本書の刊行（2024年5月）から、さほど時間を置かずに古泉さんの2作目の作品が星海社より出版される予定です。タイトルは『崑崙《こんろん》奴《ど》』。衰退しつつある唐《とう》の時代の中国を舞台に、道教《どうきょう》信仰が鍵となる事件を扱った本格ミステリです。作家から原稿をいただいて本にするという仕事をするのは10年ぶりですが、やはり楽しいものですね。またも日本人は出てきませんが、今度こそ多くの人に届いてほしいと願っております。

僕にとっての90年代

2000年に、宇山さんから文三の部長を引き継ぐことになります。そのときに、僕は担当していた作家の方々をほぼ、編集部員に引き継ぎました。ですから、僕が純粋に現場の編集者として働いたのは、25歳から36歳までの10年ちょっとということになるかもしれません。

思い返すと僕の90年代は、なんといっても京極さんとの出会いが大きかった。『姑獲鳥の夏』から、『塗仏《ぬりぼとけ》の宴《うたげ》 宴の始末《しまつ》』[*15]までの7作と、『百鬼夜行 陰《いん》』[*16]などの中短編集3作を担当させていただきました。

京極さんは講談社ノベルスを支えてくれる大事な作家というだけではありませんでした。

*15 京極夏彦の百鬼夜行シリーズ第6弾『塗仏の宴』は、1998年3月刊行の「宴の支度」と同年9月刊行「宴の始末」からなる大作。まるで関口巽ら〈シャーロック・ホームズ側〉に対する、最大のライバル〈モリアーティ教授側〉の誕生譚のような。

*16 『塗仏の宴』に次いで発表された百鬼夜行シリーズ初の連作集。『姑獲鳥の夏』から『塗仏の宴』まで、過去のシリーズ長編に登場した人物（主として脇役）のサイドストーリー集であり、各長編を読み解く際の〝導き〟となる。

作品を出版するまでに彼と濃密なやりとりを重ねたことで、僕は編集者として大きな影響を受けました。

『姑獲鳥の夏』で中禅寺《ちゅうぜんじ》秋彦《あきひこ》が、こんな名台詞を言います。

「この世には不思議な事など何もないのだよ、関口君」

この台詞について、京極さんは『水木《みずき》しげる&京極夏彦 ゲゲゲの鬼太郎[*17]』の中で「世の中というのは、もともと全部不思議なものなんだから、全部不思議なんだと思えば、不思議なものなんかないという意味なんです」と語っています。

僕は京極さんの思考に触れ、世の中で常識とされていることに対しても、さまざまな角度から考えを巡らせるようになりました。「考える」という行為そのものを、より楽しめるようになったのは京極さんのおかげだと思っています。

僕の編集者人生の大きなターニングポイントになったのは間違いなく、京極夏彦という巨大で妖しく、なおかつ完成された才能でした。

*17 １９９８年、講談社刊。テレビアニメ版『ゲゲゲの鬼太郎』生誕30周年を記念して刊行されたムック本。水木しげると京極夏彦の対談などを収録。また、京極が担当した放送回（第4期・第１０１話）「言霊使いの罠！」の脚本が別冊として付いている。

36〜39歳

文三の部長として、編集者をプロデュース

部長職に、編集能力は活かせるのか？

出版社で編集部長に就く人の中には、プレイングマネージャーとして働くスタイルの方もいると思います。自分も現場で作家を担当しながら、部長職をやる形ですね。

ただ、文三の部長は代々、中澤さんも小田島さんも宇山さんもプレイングマネージャーではありませんでした。直接の担当作家は持たずに、部を運営していたのです。

部長がごく一部、自分で本をつくることはありましたが、基本的には部長職に徹《てっ》するのが文三の伝統だという印象が僕には強かったです。ですので、自分の担当作家はごく一部

の方を除いて、ほとんど編集部員に引き継いでもらいました。正直に打ち明けると、自分でも本づくりをもっと続けたいという気持ちもありましたが、そのときは部長の業務に専心しなければ部の運営はできない、としか考えられませんでした。自分は両方をこなせるほど器用ではない、と思っていたのです。

この本を読んでいるみなさんの中にも、編集者としてのキャリアを重ねて、どの方向に進むのが良いか、悩んでいる方もいらっしゃるかもしれません。絶対の正解はありませんが、編集部長までは編集能力を活かして仕事ができると僕自身は考えています。

部長になった僕は頭を切り替えて、「部員の人たちをいかにプロデュースしていくか」ということに全力を注ぎました。編集者は、作家の才能を活かす仕事です。編集部長に就任してからは、作家ではなく編集部員たちの才能・個性を活かすことが僕の仕事になりました。

この人は何を目標にして編集作業をやっているのか。この人はどういう作品を世の中に出したいのか。この人の得意なジャンルはどれなのか。作家との付き合いや、装幀の発注、帯のキャッチコピー、何が得意なのか。

個人の長所を知り、さらに苦手な部分も見極めていく、という点では、編集者的なプロデューサー感覚が通用すると思っていましたし、手応えもそれなりにありました。

小説を読むときにも、自分ならどう企画提案するかというより「この作家は部員の誰と引き合わせて何をやってもらうのが一番いいだろうか」と考えるようになりました。

メフィスト賞でも、自分が最初に読んでから、部員に担当をお願いした作品がいくつもあります。宇山さんの時代にはメフィスト賞応募作はそれほど多くなかったので、宇山さん自身は部員の誰かが「出版したい」と手を挙げてきた作品以外は読んでいなかったのです。ですが、だんだん応募作が多くなってきていて、僕が部長になる頃にはそれでは手が回らなくなりました。それで部長になってからも応募作を読み続けたのですが、そこには僕自身も部員と一緒になって応募作を最初に読む立場を続けたかった、という思いもありました。応募作を読むこと自体が好きだったんです。部長になってからのメフィスト賞受賞作の中で、自分が最初の読者になった作品を中心にピックアップして、この章を締めくくりたいと思います。

もちろんメフィスト賞はあくまで「編集部員たちが自分が出したいと思う作品を出版する賞」です。その基本方針は部長が変わっても変わりません。

編集部長として、才能に出会っていく

北山猛邦《きたやまたけくに》さんの『クロック城』殺人事件』[*18]、これは特殊設定ものの物理トリック作品でした。この時代に、物理トリック。しかも殺害の理由も、非常に本格ミステリ的なものでした。北山さんの城シリーズは、独特の終末世界を描いているところが好きなんですよ。終末世界を舞台にして、近い将来に確実に訪れる人類の滅亡を背景にしたミステリ作品って、そう多くはありません。そこに独自性を感じました。いまも北山さんはデビュー当時と変わらず、物理トリックを書き続けてくれていて頼もしいです。

生垣真太郎《いけがきしんたろう》さんの『フレームアウト』[*19]。なによりも文体が素晴らしかった。この作品も日本人が出てこない、日本が舞台ではない、など『火蛾』同様にノベルスの暗黙のルールを無視している作品です。ですが、僕はやっぱり「暗黙のルールは破るためにある」と思ってしまう人間なので、優れているからには出版すべきだろうと授賞を決めました。作家としての個性がはっきり出ているところも好きでした。

---

*18 2002年3月刊。死体の首を切断する動機に新味がある。なお、物理トリックとは、機械工作式・建築設計上の仕掛けが発動するトリックを指す。

*19 2003年1月刊。作り物ではなく、実際に女優が殺されるところを写したようなフィルムにまつわるサスペンスフルな物語。

小路《しょうじ》幸也《ゆきや》さんのメフィスト賞受賞作品『空を見上げる古い歌を口ずさむ』[*20]はどこかNHKの実写の『少年ドラマシリーズ』を思わせます。『時をかける少女』『ねらわれた学園』を彷彿《ほうふつ》とさせる懐かしさが魅力的です。あともうひとつ、良かったと思うのは兄と弟の物語であること。兄と弟というテーマは意外と多くありません。僕は部長という立場でしたから、直接伝えてはいませんが、もっとそういう作品をつくってほしい気持ちもありました。小路さんはミステリよりホームドラマ的な作品を書かれるようになって、集英社でヒット作『東京バンドワゴン』シリーズを出されたときは嬉しかったですね。

それから『極限推理コロシアム』[*21]でデビューした矢《や》野《の》龍王《りゅうおう》さんは、メフィスト賞座談会の常連でした。この作品はいわゆるデスゲームもの。僕はデスゲームものがすごく好きなんです。自分が好きな小説ジャンルは何かと聞かれたら、デスゲームですと答えてしまうくらい。それまでの矢野さんの応募作は普通の推理ものが多かったのですが、この作品はデスゲーム＋本格推理という作品で僕は文句なく面白いと思いました。

＊20　2003年4月刊。周りのみんなの顔が〈のっぺらぼう〉に見える少年の、ひと夏の冒険をノスタルジックに描いた伝奇的児童文学。

＊21　2004年4月刊。「夏の館」と「冬の館」にそれぞれ7人ずつ閉じ込められた男女が、命懸けの推理ゲームを競わされる不条理劇。

それから、真梨幸子《まりゆきこ》さんのホラーミステリ『孤虫症《こちゅうしょう》』[22]。僕の文三部長時代最後のメフィスト賞受賞作でもあります。女同士の憎悪や嫉妬、母娘で繰り返される愛憎劇が、ひどく生々しい。人間の嫌な部分を真正面から描く作風です。『孤虫症』の迫力はすさまじく、まるでルポルタージュではないかとすら思うぐらいの生々しさ。真梨さんのその後の作品を追っていくと、そうした人間の心理を描くだけではなくて、読者が驚く仕掛けを必ずつくりたい人なのだと伝わってきました。そこはやっぱりメフィスト賞作家なのだという感じがします。

辻村深月《つじむらみづき》という才能

辻村深月さんの『冷たい校舎の時は止まる』[23]。読み終わったときは、「これぞまさしくデビュー作！」と思って興奮しました。読者に強い思い入れを抱かせる作品だと直感したんです。

＊22　2005年3月刊。作者の真梨幸子は、湊かなえ、沼田まほかると並んで「イヤミスの三大女王」と呼ばれることも。
＊23　新人のデビュー作としては異例の1500枚（400字詰め原稿用紙換算）を超す大作。これを上中下3分冊にして3ヶ月連続（2004年6月－8月）で刊行するという売り出し方も異例だった。瑞々しい感性が光る、異形にしてリアルな青春ミステリ。

それからこれは、下手にいじってはいけない作品だなと思いました。長いけれど、削って短くしてはいけない。普通だったら、あまりに長いデビュー作は売るためにはマイナスの要素が多くなります。いくら講談社ノベルスが何でもやる気風があるとはいえ、上中下巻という形で3冊に分けて出版するのは冒険です。

『冷たい校舎の時は止まる』を刊行した2004年ごろには、すでに出版業界もかなり厳しい時代に入っていました。そういう中で、編集者として「キャラクターを整理して、もっと短くしませんか？」みたいなディレクションを行うことはありえたでしょう。

ただ、この作品を読み終わった瞬間に、「やっぱり削ったりいじったりしちゃダメだ」と強く思ったんですよ。物語の細部や、すべてのキャラクターに作家自身の人生が投影されていると感じてしまったのです。

ですから、「キャラクターを少なくしてほしい」とオーダーすることは、「あなたの人生のどこかを捨ててしまえ」と、辻村深月という作家に対して言ってしまうことと同じではないか。そんなふうに思わされてしまう作品だったんです。

もちろん、すべての作家がそうした思いを持って作品をつくっておられるのは間違いありません。ただ、辻村さんのこの作品は、編集者である僕に対してそう強く感じさせるものでした。そういう、過剰なまでの思い入れを喚起するのが、辻村さんの最大の魅力なんだと僕は思っています。

辻村さんの作品は、京都に住んでおられる綾辻行人さんに会いに行く新幹線の中で読み終わり、京都駅に降り立ったときにはすでにこの作品をメフィスト賞にすることを決めていました。なにしろメフィスト賞は「担当者が部長を説得すれば授賞が決まる賞」です。僕自身が部長なので誰を説得する必要もありません。

そのあとすぐに綾辻さんに「こんな面白い作品を読んだんです」と話すと、会話の中で、辻村さんがもともと綾辻さんの大ファンで、昔からファンレターを送っていた方であることがわかりました。おふたりの関係を知ったときに僕が思い出したのは、宇山さんの言葉。「すごい才能が世に出るときには、滅多にないようなことが起きるんだよ」という一言でした。綾辻さんのところに向かう新幹線の中で読んでいた応募作の作者が、綾辻さんの大ファンですでに知り合いだった、というのはまさに宇山さんが言っていたことそのものだと思ったのです。それで、「次のメフィスト賞はこの作品に決めました。綾辻さんから辻村さんに受賞が決まったことをご連絡していただくわけにはいかないですか?」とお願いしました。編集部員ではなく作家の方から受賞を知らされた応募者は、あとにも（いまのところ）先にも辻村さんだけでしょう。

それからもうひとつ、これは極めて個人的な話なんですけれども、僕としては『冷たい校舎の時は止まる』のラストシーンに大きな感動がありました。

僕の家庭は、親も祖父も自分の兄弟も、学校教師の仕事に就く人間ばかりだったんです。でも僕自身は会社員の道を選んでいます。そのことに対して、一抹の申し訳なさのような気持ちを抱いていました。この小説のラストには「俺の先生。すっげー楽しいんだ」という台詞があって、僕はその一言が含まれた作品を世に出すことによって、自分が長年持っていた申し訳なさが解消されたように感じたのです。

辻村さんの作品に救われたのは、僕だけじゃないはず。同じように辻村作品に救われた、と思っている読者も多いと思います。

僕は辻村さんの作品を読んだ瞬間に惚れ込みましたが、一方で編集者として冷静に「この作品を担当する編集者は自分ではないほうが良い」とも思いました。僕は「この作品は作家・辻村深月にとって、自分の人生が込められているくらい大切な作品なのだ」と感じましたが、辻村さんと同世代の編集者だったら「この作品は、自分の人生が描かれていると思えるくらい自分にとって大切なもの」と感じるのではないかと考えたのです。僕にとっての『姑獲鳥の夏』がそうだったように。

『冷たい校舎の時は止まる』は、刊行と同時にすぐさま売れたというより、じわじわと評価が高まって、大ヒットとなりました。辻村さんはその後も講談社を含めたさまざまな出版社から傑作を次々に発表してくださって、嬉しく思いながら拝読しています。

メフィストから、ファウストのムーブメントが起きた要因

さまざまな才能がメフィスト賞を受賞してデビューしていき、いろんなタイプの作品が世に出ていきました。本格ミステリだけではないバラエティ豊かな作品が並ぶようになります。

先述した辻村深月さんも真梨幸子さんもそうですが、ミステリ以外の領域でも活躍するような人が何人も出てきていました。舞城《まいじょう》王太郎《おうたろう》さんや佐藤友哉《さとうゆうや》さんのように、純文学系の雑誌でも執筆して評価される作家がメフィスト賞から出てきて、彼らが文三の編集者だった太田克史《おおたかつし》さんのもとに集い、文芸雑誌『ファウスト』[*24]創刊につながっていきました。

*24 2003年9月創刊。不定期刊行の小説誌で、キャッチコピーは「闘うイラストーリー・ノベルスマガジン」。笠井潔や東浩紀らの文芸評論も積極的に掲載していた。2011年9月刊行のVol.8が、現在最新号。

メフィスト賞を受賞しデビューした舞城さん、佐藤さん、それから西尾維新《にしおいしん》さんは、ストーリーやアイディア以上に、文体を大切にするタイプの作家という共通点があるなと、いまは分析しています。

舞城さんの最大の武器は語り口ですね。女子高生の語りがめちゃくちゃうまい。その魅力が三島由紀夫《みしまゆきお》賞を受賞した『阿修羅《あしゅら》ガール』[*25]に結実するわけです。

西尾さんの最大の武器はやっぱり会話ですよね。普通の人が女の子とこんなやりとりは絶対にできないんだけど、できたらいいなと思わせる会話をつくり出すことができる。

佐藤さんも、特筆すべきはストーリーテリングではない感じがします。語りによって生まれる表現を突き詰めていくタイプの作家ですよね。

壮大なトリックとか、大どんでん返しとか、そういう大向こう受けする奇抜さではなく、「小説の語りを、どうつくりあげていくのか」という点にセンシティブな作家たちが集まって、そこに太田さんという編集者が反応して、ファウストというムーブメントにつながっていったのではないかという気がします。

＊25　2003年、新潮社刊。第16回三島由紀夫賞受賞作。東京と魔界をさすらうガーリッシュな女子高生、アイコの軽妙な独り語りが魅力的な長編小説。覆面作家である舞城王太郎は、無論、三島賞受賞式を欠席した。

文三の部長として

「新本格ミステリの仕掛け人」である宇山さんから良い形で文三を引き継いで、僕は部長に就任しました。その頃には、僕が文三に異動した当時は「非主流のそのまた非主流」だった講談社ノベルスも、新本格とメフィスト賞の牙城として多くのファンに愛されるレーベルへと成長していました。僕が部長を務めたあいだにもメフィスト賞から次々に新たな才能が世に出ていきました。

僕の文三部長時代が果たしてどんなものだったか。それは僕が中澤時代や宇山時代を語ってきたように、そのとき一緒に働いていた人たちに語っていただいたほうが良いと思います。人間、自分のことはなかなか見えていませんから。

ですが、あえて自分で語ってみるなら、単行本として出すメフィスト賞作品が多くなったのが、ひとつの特徴ではあります。名探偵が出てくるノベルスの本格ミステリのスタイルは、シリーズにしやすい。それなのにシリーズものじゃなく単行本が増えたということは、本格ミステリの要素が薄まったわけではなくて、メフィスト賞に対する応募者の期待が広がった結果だと僕は感じています。いろんなタイプの作品の応募があり、メフィスト賞の応募数もどんどん増えていきました。

僕を鍛えてくれた先輩方、一緒に座談会で盛り上がった編集部の仲間、部長の僕と一緒に働いてくれた人たち。みんなのバトンをつなぐ仕事ができていたなら、これ以上嬉しいことはありません。

文三の部長を39歳まで務め、その後は『群像』の編集長を3年ほど、そのあと文庫出版部長となり、ウェブ事業などにも携わって、最終的には文芸全体の責任者もやりました。その時々に忘れられない思い出や、作家の方々との出会いがありました。どの環境でも、考えをめぐらせて、自分にできる全力で仕事をしてきたつもりです。ですが振り返ると、自分が本当に現場の編集者として豊かな時間を過ごすことができたのは、文三で働いていた14年間でした。ですから、僕の編集者歴を語るのは、ここまでにしておくことがふさわしいでしょう。

編集者を目指す人、編集者としていま闘っている人、そんな人に、僕というひとつの先行事例から、参考にしていただける点があることを願っています。

1996〜2005年 メフィスト賞受賞作一覧

刊行年	回	作家名・タイトル・刊行月
1996年	第1回	森博嗣『すべてがFになる』(4月)
1996年	第2回	清涼院流水『コズミック 世紀末探偵神話』(9月)
1997年	第3回	蘇部健一『六枚のとんかつ』(9月)
1998年	第4回	乾くるみ『Jの神話』(2月)
1998年	第5回	浦賀和宏『記憶の果て』(2月)
1998年	第6回	積木鏡介『歪んだ創世記』(2月)
1998年	第7回	新堂冬樹『血塗られた神話』(8月)
1998年	第8回	浅暮三文『ダブ(エ)ストン街道』(8月)
1998年	第9回	高田崇史『QED 百人一首の呪』(12月)
1999年	第10回	中島望『Kの流儀 フルコンタクト・ゲーム』(2月)
1999年	第11回	高里椎奈『銀の檻を溶かして 薬屋探偵妖綺談』(3月)
1999年	第12回	霧舎巧『ドッペルゲンガー宮《あかずの扉》研究会流氷館へ』(7月)
1999年	第13回	殊能将之『ハサミ男』(8月)
2000年	第14回	古処誠二『UNKNOWN』(4月)
2000年	第15回	氷川透『真っ暗な夜明け』(5月)

2000年　第16回　黒田研二『ウェディング・ドレス』（6月）
2000年　第17回　古泉迦十『火蛾』（9月）
2000年　第18回　石崎幸二『日曜日の沈黙』（12月）
2001年　第19回　舞城王太郎『煙か土か食い物 Smoke, Soil or Sacrifices』（3月）
2001年　第20回　秋月涼介『月長石の魔犬』（6月）
2001年　第21回　佐藤友哉『フリッカー式 鏡公彦にうってつけの殺人』（7月）
2001年　第22回　津村巧『DOOMSDAY ―審判の夜―』（9月）
2002年　第23回　西尾維新『クビキリサイクル 青色サヴァンと戯言遣い』（2月）
2002年　第24回　北山猛邦『『クロック城』殺人事件』（3月）
2002年　第25回　日明恩『それでも、警官は微笑う』（6月）
2002年　第26回　石黒耀『死都日本』（9月）
2003年　第27回　生垣真太郎『フレームアウト』（1月）
2003年　第28回　関田涙『蜜の森の凍える女神』（3月）
2003年　第29回　小路幸也『空を見上げる古い歌を口ずさむ』（4月）
2004年　第30回　矢野龍王『極限推理コロシアム』（4月）
2004年　第31回　辻村深月『冷たい校舎の時は止まる』（6月～8月）
2005年　第32回　真梨幸子『孤虫症』（3月）

※筆者が編集部在籍時の受賞作のみ

第3章

小説編集者の仕事のステップ

新人は作家を引き継ぎで担当するところから

この章では、若手編集者がこれからどう仕事をすればいいのか、ひとつの作品ができあがるまでの仕事の流れを追いながら考えてみたいと思います。

新人はまず先輩が担当している作家を引き継ぐところからスタートすることが多いのではないでしょうか。僕もそうでした。引き継ぎをした作家のために、何ができるか。僕は「前の担当者ができなかったこと」をやろうと意識していました。前の担当編集者は作家のこの部分に注目していたけど、自分は別の一面をもっと引き出せるのではないか。そういうことを考えていました。

それは自分の色に作家を染めてやろうとか、すでに成功しているのに方向性を変えて自分の興味範囲のテーマに引き寄せてしまおうとか、そういう自分勝手な話じゃないですよ。真剣に作家を見つめて、その作家自身がもともと持っている個性に、これまでとちょっと違う形で光を当てることができないかなって考えたのです。

具体的な僕の体験を挙げると、まず篠田《しのだ》節子《せつこ》さんを担当したときのことが思い出されます。篠田さんは先輩の宇山秀雄さんから担当を引き継ぎました。そのとき篠田さんが書いていたのは『贋作師《がんさくし》』＊1という作品で、実に宇山さん好みの芸術をテーマにしたミステリでした。次の作品をどうするかという打ち合わせのときに、僕は篠田節子さんという作家の持っている迫力は、ほかのテーマのほうが活きるのではないかと考えたのです。その結果、「聖なるものと社会」「日本人と信仰心」というようなテーマに篠田さんが関心を持たれていることがわかりました。そうしてできあがったのが、『聖域』『弥勒《みろく》』＊2です。篠田さんはその後も現在に至るまで「聖なるもの」のテーマを追求し続けてくれています。嬉しいな、と思うのと同時に、編集者の持つ影響力に身がすくむ思いにもなります。

もうお一方としては今野《こんの》敏《びん》さんのケースです。今野さんはそれまでずっとノベルスだけで作品を発表しておられたので、次は初の単行本作品にしようということになりました。ふたりで長時間打ち合わせを重ねるうちに、僕が『信長の野望』のような歴史シミュレーションゲームの熱狂的なファンであることを知った今野さんは、ゲームに興味を持ってくださいました。それまで、まったくゲームをやったことのなかった今野さんがイチからゲ

＊1　1991年、講談社ノベルス刊行。日本洋画界の大御所の遺作を修復することになったヒロインが、かつてその大御所の弟子になるため自分のもとを去った恋人の死の真相に迫る長編サスペンス。

＊2　1998年、単行本刊行。政変により国交が断絶されたヒマラヤの王国に、単身潜入した新聞記者の受難を描く長編小説。異文化に接して翻弄される日本人の姿を描くことは、篠田節子の作家的個性のひとつといえる。

篠田節子『聖域』

（講談社／1994）　装幀＝原研《はらけん》哉《や》

帯文

「神の領域」は
存在するのか!?

内容紹介文　関わった者たちを破滅へ導くという未完の原稿「聖域」。1人の文芸編集者が偶然見つけるが、得体の知れぬ魅力を秘めた世界へ引きずりこまれる。この小説を完成させようと、失踪した女流作家・水名川泉《みながわせん》の行方を捜し求めるその男は、「聖域」の舞台である東北へ辿りつく。山本賞・直木賞受賞作家の長編サスペンス。

今野敏『蓬萊』

（講談社／1994） 装幀＝北見隆

帯文

面白い。
文句なく、面白い。
大沢在昌氏絶賛!!

内容紹介文 この中に「日本」が封印されている――。
ゲーム「蓬萊」の発売中止を迫る不可解な恫喝。なぜ圧力がかかるのか、ゲームに何らかの秘密が隠されているのか!? 混乱の中、製作スタッフが変死する。だが事件に関わる人々と安積《あずみ》警部補は謎と苦闘し続ける。

ームのことを研究してできあがった小説が『蓬萊《ほうらい》』*3です。作品の内容もですが、作中で語られるゲームが実に魅力的なのです。今野さんにとっても転機となった作品なのではないでしょうか。

前の担当者はできなかったこと、やらなかったことで、なおかつ可能性のあることを探す。それは編集者の存在意義ともいえます。そうやって新しい魅力を開拓できたら、それは作家にとってもプラスに働くことですから、怯《ひる》まずに自分なりの提案をしてみましょう。

新しい提案ができたわけではありませんが、山口雅也《やまぐちまさや》さんのことも忘れられません。山口さんの担当は『ミステリーズ』*4を本にする段階で、宇山さんから引き継ぎました。山口さんはミステリについての知識や理論については、当時の僕などは足元にも及ばない方でした。それでも山口さんが僕を担当者として認めてくださったのはふたつの理由があったのではないかと思っています。ひとつは、宇山さんが「自分が信頼している編集者」として紹介してくれたこと。もうひとつは、僕が『姑獲鳥の夏』を世に出した編集者だったこ

*3　1994年、単行本刊行。シミュレーションゲーム「蓬萊」の発売中止を要求する不可解な脅迫事件を追う警察小説。『二重標的　東京ベイエリア分署』（1988年）に始まる安積班シリーズの番外編。

*4　1994年、単行本刊行。ミステリの〈型〉を破ることで可能性の枠を広げようとする野心作ぞろいのノンシリーズ短編集。山口雅也はワセダ・ミステリ・クラブ出身で、大学在学中から「ミステリマガジン」などで書評活動を行なっていた。

山口雅也『ミステリーズ』

（講談社／1994）　装幀＝平《ひら》野《の》甲《こう》賀《が》　装画＝マーク・バイヤー

帯文

ミステリは、また一つ
進化の階段を登った……。
正常は異常。異常が正常。
全てを読み解いたとき世界が変る！

内容紹介文　謎とトリックと推理の鮮やかなパズル！　――密室殺人にとりつかれた男の心の闇、一場面に盛り込まれた連続どんでん返し、不思議な公開捜査番組、姿を見せない最後の客……。人気の本格推理作家が、明確な意図を持って、みずからの手で精密に組み上げた短編集。謎とトリックと推理の巧みな組み合わせが、人間の深奥にひそむ「ミステリー」を鮮やかに描き出す。

とだと思うのです。編集者にとっての「名刺代わりの仕事」を持て、とは何人もの先輩編集者から言われたことです。『姑獲鳥の夏』はまさに僕にとっての「名刺代わりの仕事」になりました。山口さんとミステリについてや、ミステリ界の将来について時間を忘れてお話をすることができたことは、いまでも宝物のような思い出です。

自分から作家にオファーをする場合

先輩から作家を引き継ぐほかに、他社でデビューした人にオファーする、というケースもあります。

ただ僕は、先輩から引き継いだ作家のみなさんだけでなく、メフィスト賞デビュー作家がたくさん作品を出してくれたので、こちらから作家さんに声をかけていくことがそれほど多くなかったと思っています。ちょっと特殊な状況だったかもしれません。

仕事が軌道にのってからは、講談社ノベルスと講談社X文庫の両方のレーベルを合わせ年によっては50作品近く編集していたものですから、さすがにちょっとそれ以上手を広げる余裕がありませんでした。当時のノベルス編集者でバリバリ働いている人って他社でもだいたいそんな感じだったんです。年間30作品以上つくっていた人は珍しくなかったんじゃないでしょうか。そんな中でも、自分からオファーをして強く印象に残っている作品もあります。

恩田陸《おんだりく》さんには、彼女がまだ現在ほどのベストセラー作家ではなかったときに、お声かけしました。『六番目の小夜子《さよこ》』[*5]を読んで、「これは、いままで読んだことのないタイプの作品だなぁ」と思って。そのときは『六番目の小夜子』のあとに『球形《きゅうけい》の季節』[*6]が出たころで、恩田さん自身も次はどういう作品を書いたらいいのか模索しているのではないか、と僕は想像しました。

次のステップに進む作品を一緒につくりたいという気持ちで「恩田さんの一番書きたいものがあるはずなので、それを大長編で書いてください」とお願いしました。とにかく渾身の一作をつくる。大長編ならば、作家・恩田陸の新しい魅力が必ず発揮されるはずだと、直感が働きました。

＊5　恩田陸のデビュー作。第3回（1991年）日本ファンタジーノベル大賞に投じられ、最終候補に残るも受賞はならなかったが、その翌年、新潮文庫より刊行された。とある地方の高校に3年に一度出現するといわれる「サヨコ」の伝説をめぐる学園ホラー。

＊6　1994年、新潮社刊。5月17日にエンドウさんが宇宙人にさらわれる――その奇妙な噂は、どうやら現実のものとなってしまったようだ。とある東北の町を舞台に、噂が噂と恐怖を呼ぶモダンホラー。

その長編をつくりあげるために、雑誌『メフィスト』での連載を依頼しました。すると依頼に応えて、恩田さんは毎回200枚、4回で完結する作品を構想してくださったのです。実は恩田さんへの依頼は、編集長の宇山さんには事後承諾でした。宇山さんなら絶対に認めてくれるはず、という確信があったからです。もちろん宇山さんは僕の気持ちを後押ししてくれました。

それが『三月は深き紅《くれない》の淵《ふち》を』です。自分が担当した作品の中でもたいへん深く印象に残っている、思い入れのある作品ですね。これはミステリとも幻想小説とも言い切れない不思議な作品。「小説を書く」「物語をつくる」ということに対する想いが小説の形になっています。その中で特に印象的なのは、「今でも人間が小説を書いてることが信じられない時があるもんね」という台詞ですね。小説っていうのは、小説のなる木みたいなものがあって、そこから実をもぐように世の中に出される感じがするという。つまり作者という存在の持つ不思議さみたいなものが述べられている。

「小説家になろう」のような小説投稿プラットフォームがあることを知ったとき、これは『三月は深き紅の淵を』のあの台詞みたいだと思いました。小説を書きたい人たちが、次々と作品をプラットフォームに投稿していく。これってまるで小説のなる木みたいだと僕は

恩田陸『三月は深き紅の淵を』

（講談社／1997）　装幀＝北見隆

帯文

その本は
たった一人にだけ、
たった一晩だけしか
他人に貸してはなりません。

鮫島巧一《さめしまこういち》は趣味が読書という理由で、会社の会長の別宅に2泊3日の招待を受けた。彼を待ち受けていた好事家《こうずか》たちから聞かされたのは、その屋敷内にあるはずだが、10年以上探しても見つからない稀覯本《きこうぼん》「三月は深き紅の淵を」の話。たった1人にたった1晩だけ貸すことが許された本をめぐる珠玉のミステリー。

感じました。物語が自然に育っていくようなイメージです。

僕がいまでもずっと抱き続けている「小説を書くとはどういうことなのか」というテーマは、この作品に刺激されたことも大きく影響しています。

依頼文を書くときはアイディアを込める

作家に執筆を依頼する方法は、いまでもメールや手紙によるのが普通だと思います。僕から作家に何かを依頼するようなことはもうさほど多くありませんが、それでも作家への手紙はいまでも時々書きます。謹呈本《きんてい》をいただいたときにお礼状を書くことがあるからです。その際、意識している点があります。それは、「自分がその作品を読んで得た、独自の思いつきや自分ならではの考えを必ずひとつは入れるようにする」こと。借り物の言葉や、ありきたりの感想だけではなく、できる限り自分独自の発想を入れるように心がけています。もちろん、「これは自分がイチから考えた感想なので目新しいはず」と思ったとしても、実は誰もが当たり前に考えるものだったということも、ままあります。しかし、それを恐れる必要はまったくありません。たとえ結果がありきたりのものだったとしても、自分がイチから考えたことなら、その文章のどこかに必ず自分の独自性が表れているはずですから。そして作家は、その独自性に必ず気づいてくれます。これは作家への依頼文でも同じでしょう。編集者として依頼したいと思っているのだから、当然ながらその作家の作品に魅力を感じているはずです。なぜ自分はその作品に魅力を感じたのかをよく分析して、それを自分の言葉で表現するように心がけてみてください。

依頼文を書くときにもうひとつ意識しておきたいのは、「自分がその作家の今後の作品づくりでどんなふうに役に立てるか」を考えてみることですね。自分が編集を担当したなら、今後の作品づくりにこんなプラスがありますよと、アピールするのです。もちろんあまりにも押しつけがましいことを書いてしまうのは逆効果ですが、貢献できることがあるならば惜しみなく書き添えましょう。たとえば恩田陸さんに依頼する際には、「メフィスト」という掲載媒体が用意できることはお伝えしていました。そうしたアピールポイントもその作家の作品を読んで考えれば、何かしら浮かんでくるはずです。ただし、幸いに依頼を受けてもらえた場合でも、自分がアピールした点を作家が採用しないことも当然ありえます。でもそこでがっかりしてはいけません。その作家を自分がどのように見ているかを伝えることは、いずれ大きな意味を持ってくると信じていましょう。これも結果として当たり前のことを伝えるだけになってしまうかもしれませんが、やはり恐れる必要はありません。

大事なのは、依頼文のどこかに自分なりの「アイディア」が入っていることだと思います。これも依頼をする経験を積んだり、自身の興味範囲を広げていったりすることで、徐々にできるようになってくるものなのです。

それから言うまでもないですが、依頼文で作品に対するネガティブな評価を書くのはNGです。表現者というものは10個褒められるよりも、1個貶《けな》されたことのほうが心に残ってしまうものだと覚えておいてください。たとえどんなにその作家に対して有益なものだったとしても、否定的な分析を述べるのには相当なテクニックが必要になります。自分が作品をよく読み込んでいると伝えたいあまりに、つい批判的な部分も少し書いてしまいたくなることもあるでしょうが、少なくとも依頼文の段階では止めておくのが無難です。作家に限らず、創作者はみな孤独なものですから、まずは「私はあなたの側に立っていますよ」と真正面からアピールすることからスタートすべきでしょう。

ただ、こうしたことをずっと続けていると小説編集者ならではの悩みが発生してきます。たとえ仕事とは関係なく買った小説でも、読んでいるうちに「どうやって依頼しようか」「何を依頼しようか」ということばかり考えるようになってきてしまうのです。ですから、僕は長期の休みのときには、既にお亡くなりになっている作家や海外の作家の作品を選んで読んでいましたね。たまには依頼することから離れて小説を読みたくなるんですよ。

作家との打ち合わせで大切なこと

引き継いだにせよ、自分からオファーしたにせよ、「一緒に本をつくりましょう」と合意ができたら打ち合わせをして、どんな作品をつくるのか話し合います。

オファーする段階で自分からの提案を添えることもありますが、作家に「これ」を書いてほしいというような極めて具体的な提案は、僕はあまりしませんでした。作家がすでに持っているアイディアを具現化することを一番に考えていたからです。そのためには相手を知ることが重要ですよね。「この人だったら、このテーマやモチーフに興味を持っているはず」というところを見つけるために、その方の既刊本を読みました。また、雑談をすることも大切でしたね。当時の編集者は長電話の人が多くて、話し始めたら2時間以上作家と電話で喋っているなんてこともザラでした。

作家のほうから「こういう物語はどうだろうか」と提案されることもよくありました。大体いくつかのアイディアを提示してくれて、「どれがいいと思いますか?」と意見を聞かれるんです。そうした場合の判断は、どのアイディアなら、自分が自信を持って世の中に送り出すことができるか、という視点で選びました。

売れるためには、まず話題になること。世間の人たちが読んで語りたくなるようなテーマはどれだろうかと考えることが多かったです。あとはその作家の読者はベースになるので、いままでの読者の人たちにとっても気になりそうなテーマであることも大事です。その作家を好きで応援してくれているファンがスルーするようなテーマは、いくら新しくてもちょっとどうだろうなと思いませんか。

とはいうものの、それも作家がいまどういう時期にあるかによって変わってきます。その人が新たな境地に一歩踏み出したいときには「まったく違うものをつくろう」という発想は当然ありえます。どんな作品を、どういう形で発表するのが良いのか、などと一緒に考えていくことになるでしょう。

それから、物語のプロットを作家に用意してほしいとお願いしたことはありません。もちろん自主的に書いていただいた場合は読みますが、率直に申し上げればあまり意味があるとは思えないのです。小説にとっては「どう書かれているか」が命。これはまた後にご説明しますが、視点人物の語り方、つまり文章に魅力がなければ、どんなにプロットが優れていても、その小説は良作にはなりえないのですから。

小説では手を出さないほうがいいジャンル

作家にアイディアを提示されたとき、どんなに親しく付き合っていて、才能のある相手であっても、「これは売れない」と自分が思ったときにはストップをかけることもありました。テーマによっては「ほかの作家が書くならば違うかもしれないけれど、それはあなたが書かないほうがいい」という場合もあります。

また、小説には手を出さないほうが無難なジャンルもあります。

一例を挙げれば、絶対とは言い切れませんが、プロレス小説は大ヒットはしません。僕自身はプロレスが大好きなんですよ。けれども長年編集者をしてきた人間として、ヒット作をつくるのは非常に難しいと思う。もちろん、いままでも良い作品は書かれています。純粋に小説として読んだなら、十分に面白い作品も多いです。でも、どの作品も大ヒットするまでには至っていない。

なぜなのか。プロレスファンにとっては、実際のプロレスのリングで展開されている物語があれば十分だからではないでしょうか。実際の物語を前にすると、小説の物語はどうしても「つくりもの」に思えてしまいます。プロレスは、永遠に最終回のこない連続ドラマのようなものですから、それを小説にするのは難しい。しかもジャンルそのものがマニアックなものなので、関心を持ってくれるファン層が厚くない。

もちろん、そうした壁をぶち破る最高傑作が誕生することもありえます。これまでの概念をぶっ壊すタイプの才能が出てきたら大歓迎です。しかし無策で挑めば、どんなに頑張っても読者には届きません。プロレスにまったく興味のなかった読者が、その小説をきっかけにプロレスを見るようになるくらいの大傑作でないと、このビハインドの状況は突破できない。だからやっぱり、僕はプロレスをテーマにした小説を書きたいと言われたら止めますね。

プロレスはマンガなら成功作がいっぱいあるんです。まずは梶原一騎《かじわらいっき》原作・辻《つじ》なおき作画の『タイガーマスク』、それから梶原一騎・原田《はらだ》久仁《くに》信《ちか》のタッグで週刊少年サンデーに連載された『プロレススーパースター列伝』も伝説的な作品です。実話をもとにしてつくられていて、プロレスはマンガで表現したほうが面白いんじゃないか、とすら思わされます。ほかにも大ヒット作は本当にいくらでもある。マンガだと実際のプロレスでは不可能な動きや技が描けますからね。それぞれの表現ジャンルによって扱えるテーマには向き不向きがあるんじゃないかと思います。小説ならではのテーマを選ぶことも大事です。

でも、こういう話をした上で、もしも僕が「それでもプロレスの小説を書きたい」と作家から言われたらどうするか。そのときはアントニオ猪木《いのき》のプロレス史上に残る名言[*7]と、教え込まれた中澤イズムをミックスした「出す前に、売れないこと考えるバカいるかよ！」という台詞を心の中で叫んでから言うでしょうね。「やりましょう！」と。

京極夏彦さんや森博嗣さんとの打ち合わせ

これまでお話しした通り文三でメフィスト賞が設立されてからは、受賞者を担当することが多くなりました。なかでも「第0回受賞者」と言われることもある京極夏彦さんや第1回受賞者の森博嗣さんとは、彼らのデビュー前からの長い付き合いになりました。

おふたりとも、打ち合わせをしてこちらから「次はこういうことやりましょう」とお伝えする前に、作品がどんどんできあがってくるから驚きでした。森さんなんて、デビューする時点でもう5作目までストックができていましたから。

ですから打ち合わせでは何かを提案するというより、「この作品のこういうところが良かったです」と感想を伝えることが多かったのです。それは編集者としての意思表示であり、作家に「唐木さんはこういうタイプの作品を世に出したがっているんだなあ」と知っても

＊7　1990年2月10日新日本プロレス東京ドーム大会の試合前インタビューにてテレビ朝日・佐々木正洋アナ（当時）のネガティブな質問に対して答えた、「出る前に負けること考えるバカいるかよ！」という発言を指す。

らうために重要なこと。婉曲《えんきょく》な形ですが、次の作品の方向性を決めるときに、そういう僕の声が最初の読者の感想として参考になれば、と考えていました。

新本格ミステリの仕掛け人である宇山さんは「どのような作品を世に送り出したいか」というビジョンを明言していました。だから作家は、宇山さんが「読んだら、目から鱗が何枚も落ちるような作品」「自分の立っている足元がぐらぐらと揺り動かされる作品」を求めていると、みんな知っていました。その結果、宇山さんの求める作品が集まってきたのです。

作家の多くは「この編集者はどういう小説が好きなのか」ということを気にしています。なぜならば、作品を依頼するのは編集者だから。「まずは依頼している人が満足する作品をつくろう」と考えるのは、自然なことです。だから、自分がどういうものが好きなのか、編集者は打ち合わせやいろんな場面で、発信したほうがいい。作家のことを知るのと同時に、作家に自分を知ってもらうことも大事なのです。

作家に最初にお会いしたときには、お互いの読書歴について話をすることも多かったです。どういう作品が好きなのか、それで理解できますからね。

打ち合わせは編集者が、自分がどういう人間で何ができるのか、どういうタイプの小説を世に出したいと思っているのか？　ということをアピールする場でもあるのです。

作家と向き合う前に、自己分析が必要

ここまでお話ししてきた作品依頼や打ち合わせで、編集者に必要なことは何でしょうか。それは自分の興味範囲をできるだけ広げていこうとする意欲、言い換えれば、作家に限らず他人が関心を寄せている対象に自分も興味を持つことです。つまり、人間に関心を持つこと。とはいえ、闇雲に知識を増やそうとしても無理がありますよね。

編集者は作家、つまり相手を知ることが重要な仕事です。そのためには、まずは自分自身を知ることが大事。現在の自分の興味範囲はどこまでなのか、得意なジャンルはどの辺りなのか、逆に苦手なジャンルは何か？ そういうことをしっかり分析し認識することで、さらにどのように興味の範囲を広げていったら良いかがわかります。

たとえば、本を何冊も買ったり、図書館で借りたりするときに、自分の興味範囲のジャンルから7割を選んで、残りの3割はできるだけ興味範囲じゃない作品を探してみる。そんな読み方も有効なんじゃないでしょうか。

あと、これは編集者を半ば引退した状態になって読書の仕方が変わったからわかったことなのですが、やっぱり書評って非常に大事なものです。書評家というのは世の中に本当に必要な仕事だとあらためて実感しました。

会社を辞めると、読んだ本の話をする相手がぱったりといなくなるんです。これが思いのほか僕にはつらかった。でも、書評を読むと、文章を通して書評家とその本について議論をしているような気持ちになれる。これは実際の編集者同士や、編集者と作家の会話と似ていて、トレーニングにもなるように思います。僕は斎藤美奈子《さいとうみなこ》さんの書評が好きでよく読むのですが、売れる本のパターンや日本文学のスタイルなどをよく分析されていて、これが非常に腑に落ちるんです。

僕は昔から「売れる恋愛小説のパターン」があると思っていました。それは、主として男性の主人公が過去の自分が経験した辛い恋愛を振り返って感傷的に語るというもの。これが日本では10年に一度ぐらい超大ヒットする。『世界の中心で、愛をさけぶ』[*8]や『君の膵臓《すいぞう》をたべたい』[*9]がそれに当てはまります。これは日本に限らず、アメリカで1992年に刊行されてベストセラーになった『マディソン郡の橋』も同じスタイルで、女性主人公が過去の不倫の短い恋について語ったものでした。世界中で5千万部以上発行されてい

＊8　2001年、小学館刊。片山恭一の手になる恋愛小説で、略して「セカチュー」と呼ばれる。主人公の朔太郎の恋人、アキは高校生のとき白血病にかかり、命を落とす。

＊9　2015年、双葉社刊。住野よるの手になる恋愛小説で、略して「キミスイ」と呼ばれる。主人公の「僕」のクラスメイト、山内桜良は膵臓の病で余命宣告されている。

ます。

僕個人の好き嫌いは別として、連々とそういう恋愛小説が売れているなと思っていたんですが、斎藤さんも同じ分析をしているのを知ったときには嬉しかったですね。さらに斎藤さんはほかにも日本には「新人教師の奮闘もの」というジャンルがあるなどのさまざまな分析をされていて、勉強になりました。書評は自分の興味分野を広げるときには最適です。

興味の範囲を広げながら、自分が知らないこと、苦手なことについても冷静に判断しておく。僕は西洋音楽や近代美術が苦手なんです。もしそうしたジャンルをモチーフにした作品の打ち合わせをすることになった場合には、自分のよく知っているジャンルの話に当てはめて、それがおおよそどのレベルの専門性がある話なのかを推測するしかありません。その場合は、自分がよく知らないことを隠さないほうがいいでしょう。作家はあまり詳しくない読者の代表例として、編集者を捉えることができるでしょうから。そういう意味でも、作家と向き合う前に、まずは自分を分析・理解するところから始めるのが大事です。

自分の未知の分野を開拓していく

自分の興味関心や得意分野がどこなのか知っておくことが大事だとお伝えしましたが、

ただ、ひとつ忠告しておきたいこともあります。自分が好きすぎるものは、商売にしないほうがいいです。

前にも言ったように、僕は文三に所属するまでは本格ミステリのファンではなく、熱心には読んでいませんでした。所属してから勉強として一生懸命に読んだからこそ、本格ミステリを読まない人の気持ちや苦手な人の気持ちも冷静に分析することができたと思っています。

ですが、歴史小説はもともと好きでした。正確に言うと、歴史そのものが好きなんです。僕は日本の戦国時代が好きすぎるあまりに、戦国時代を知らない、もしくは嫌いな人の気持ちがおそらくよくわかっていません。歴史小説を読んでいても、自分がマニアックな知識を持っているぶん、行間にまで勝手に想像が大きくふくらみ、余計に面白く読めてしまって、冷静な判断ができなくなってしまうのです。

自分が好きすぎるものはビジネスにしないほうがいい。ブシロードの木《き》谷《だに》高明《たかあき》社長は「すべてのジャンルはマニアが潰す」という名言を発しているんですけれども、僕も完全に同意します。もちろん例外も多いんですが、その場合は自分が好きなものを冷静に分析する視点を持つことができているのでしょう。好きなあまり自分以外が見えなくなっていてはダメですね。

好きすぎるものよりも、自分が若干苦手なジャンルや、あまり読んでこなかったタイプの小説とかにチャレンジしてみる。どんなジャンルでも過去の大傑作とか大名作とか言われている小説って読めばだいたい面白いですよ。現在の読者が読んでも、色褪せていない作品ばかりです。

そうすると、「なぜ自分はいままでこれを読まなかったんだろう?」と考えるじゃないですか。編集者にとって大事なことは、その「なぜ」を考えることだと思うんです。それが一番の醍醐《だいご》味《み》と言ってもいい。なぜこの本は売れたのか、なぜ自分はそれをいままで読んでこなかったのか。ひとつずつ考えることで、編集者としての能力を培《つちか》うことができるはずです。

僕は最近1960年代、70年代の小説を読んでいるのですが、やっぱり名作は廃《すた》れないですね。

先輩編集者の鉛筆から学んだこと

打ち合わせを重ね、作家に執筆していただき、原稿が届く。最初に届いた原稿をそのまま本にするわけではなく、編集者は鉛筆を入れて作家に戻し、作家は鉛筆に対して修正すべきところは修正して、さらに作品に磨きをかけていきます。

編集者は間違いと思われる点を指摘したり意見を述べたりしますが、最終的には作家の作品なので、作家自身が判断して鉛筆での指摘を採用するか、不採用にするかを決定します。

宇山さんの原稿の読み方は、ちょっと独特でした。自分が良いと思ったところに、ビックリマークが書いてあるんです。「素晴らしい！」「エクセレント!!」なんて言葉が添えられていることもありました。そういう宇山さんの鉛筆から、ただ修正点を指摘するだけではなく、原稿を通して作家と会話するのだと学びました。

修正点ばかりでなく、良いと思うところを鉛筆で書くのは大事なことです。「自分はこういう部分に感動する編集者なんですよ」という意思をその作家に伝えることができます。これもいままでお伝えしてきた「作家を知るだけではなく、自分自身を作家に知ってもらうことも大事だ」につながります。

僕が学んだ宇山さんの鉛筆書きがどんなものだったのか。姉小路《あねこうじ》祐《ゆう》さんの『推理作家製造学〈入門編〉』にその一例が掲載されています。1991年に僕が担当して講談社ノベルスから出した本なので、ちょっと紹介させてください。

姉小路祐『推理作家製造学入門編』

（講談社ノベルス／1991） 装幀＝熊谷博人《くまがいひろと》

帯文

この一冊で
あなたも推理作家になれる⁉

内容紹介文　推理作家誕生までの、感動のドキュメント！　著者、姉小路祐は本年度（1991年）横溝賞受賞の新鋭推理作家である。彼がデビューするまでの軌跡を、落選した新人賞応募作も含めて追跡する。本邦初の実録作家誕生物語！

この本は推理作家を目指す人のために姉小路さんが自分はどうやって作家になったのかを丁寧に伝える教科書的な作品です。その中に書き下ろしの短編小説の実作が例として載っているんです。そこには編集者の鉛筆書きも、注釈としてそのまま入っています。その鉛筆を入れているのが、これまで何度も話に登場してきた僕の先輩、中澤さんと宇山さんなんです。

鉛筆の入れ方はそれぞれ個性があって、両者でかなり違いがありました。中澤さんは社会常識、たとえば登場人物に対して「この出世のスピードだと、彼をエリートとは呼べない」といった内容の鉛筆を多く入れている印象です。宇山さんは日本語の正しさを気にするタイプで、意味の重複などにも細かく目配りしています。

少々昔の作品ですが、ほかの編集者がどのように鉛筆を入れているのかを見る機会はなかなかないので、勉強になると思います。それに、編集者や推理小説を書きたい人じゃなくても、何かに悩んでいる人が読むと元気が出る本なんですよ。小説を書こうと思っても一行も書けないところから、いかに頑張ってデビューしていくかが描かれているので、姉小路さんが作家になるまでのエッセイとしても面白く、新しいことにチャレンジしようとする人なら励まされるものです。『推理作家製造学〈入門編〉』は1994年には講談社文庫からも刊行されていて、電子書籍にもなっていますので、よかったらぜひ。

編集者が鉛筆を入れるだけでなく、作家と編集者のあいだで原稿が完成したら校閲者にもチェックをしてもらい、誤字脱字や事実誤認などがないかを確認します。作品の精度を上げるために、幾重《いくえ》にも「間違い探し」をするので、作家によっては自信をなくす方もいます。だからこそ、良い部分もしっかり作家に伝えることが大事なのです。

ちなみに、僕が担当した作家の中で、鉛筆を入れる必要がほとんどなく、校閲からの指摘もほぼ入らないのは、なんといっても今野敏さんでした。長編小説ともなれば10万字程度は少なくとも書くわけで、その中で事実誤認や矛盾が生じることなく、日本語の間違いや単純な誤字脱字さえもほとんど見当たらない今野さんの筆力《ひつりょく》はさすがでした。そうした正確さ・緻密さを維持しながら量産することができるベストセラー作家の仕事ぶりは「すごい」の一言です。

僕の鉛筆の入れ方

僕は日本語の表現よりも、登場人物の「思考」に飛躍や説明不足が感じられる部分に、割と細かく鉛筆を入れてきました。登場人物の行動が読者には不自然に映ってしまうことって、意外とあるんですよ。たとえば、目の前で殺人事件が起きたら、怖いし驚いて、まずは安全を確保しようとするのが普通です。それなのに、警察でもない人間が平然とすぐに推理を始めたら、やはりおかしい。なぜ危険な事態に首を突っ込むのかということに関して無自覚なのは、あまり良いミステリとは思えないんです。わざわざ推理をするにはそれ相応の理由があるはずなので、そこはきっちりと明示しておく必要があると僕は考えます。

そういう不自然さがあっても、一種のお約束だと読者にもわかるように書いてあれば問題ないのですが、作者が無自覚な場合には、しっかり鉛筆を入れたくなります。とはいえ、それはあくまでひとつの意見なので、修正するかどうかは作家の裁量ではあるのですが、編集者として譲《ゆず》れないと思ったら、しっかり話し合います。

もちろん、僕が読み間違えていることだってあるわけです。そういう場合、多くの作家は「ああ、この人が読み間違えるような書き方をしていたんだな」と受け止めて、読み間違いされないような形に修正を加えてくれました。どちらが正しいのかを言い争っているわけではなく、あくまで作品をより良くするためのやり取りなのです。

ボツにするラインは何点か？

作家から原稿が届き修正を重ねても、出版できるレベルまでにはどうしても到達せず、仕方なくボツにすることも何度かありました。編集者にとって一番つらいのは、ボツにする瞬間です。もう精神的にきつい。読めば、作家がどのぐらい時間をかけて書いたか、当然ながらわかるわけです。それでもビジネスとして世に出せるところまでいかないと判断したら、ボツにするしかない。こちらから依頼した場合でも、一定の水準に達していなかったらボツにします。ボツの作品と出版できるレベルの作品は、はっきりと違いがありました。

難しいのは、プロットやアイディアの段階では、ボツかどうかの判断というのはできない点です。原稿を見ないと判断はできない。ですから冒頭だけ書いてもらって一度見せてもらう場合もあります。そうやって慎重に進めても、ボツになってしまうこともあるのが現実です。

ただ、編集者が作品に求めている基準点があるとして、それを完全に満たして100点になっていないからボツ、なんてことはありません。ある部分が70点でも、ほかに120点の部分があれば直すことはできる。また、その作品を世に出すことが、次の作品への大きなステップになることだって往々にしてあります。それなのに、常に完璧な作品じゃないとダメだと思い詰めてしまうと、おそらく作家は行き詰まってしまいます。作家との付き合いは、一作で終わりじゃないですから。80点の作品が、将来の120点の作品につながるかもしれません。

それに、その「100点」というのは、編集者個人の勝手な思い入れも含まれています。それを作家に押しつけちゃダメなのは言うまでもないです。

タイトルが原稿料の8割を占める?

作家と編集者のあいだで原稿ができあがったら、編集長にも読んでもらい校正校閲の方にチェックしてもらいます。そのあいだに編集者は、作家と相談してタイトルを確定させたり、本のあらすじや帯に載せるキャッチコピーである帯文を書いたりします。

タイトルについて、若い頃に言われていまでも忘れないのは、「作家の原稿料のうちの8割はタイトルだ」という言葉です。もちろん誇張した言葉ではあるんですけれど、作家は何万字も原稿を書いているのに、多くても数十文字のタイトルのほうが、重要だと。そのくらいタイトルというのは本の顔であり、大切なものなのだということですね。このことは何人もの先輩編集者が言っていました。

タイトルの重要性は、もちろんいまでも変わりません。作品をアピールする上で一番強い武器ってタイトルですから。「小説家になろう」などのウェブ発の小説は、発表時点ではカバーも帯文もありませんから、タイトルで作品のすべてを表現しようとして長文になっています。一般文芸においても、同じような傾向が見られます。読者に手に取ってもらうため、必然的にそうなっているのです。もちろん、いわゆる「なろう系」でも短いタイトルの作品もありますよね。『無職転生』[*10]、これは短くて、かつ何を書こうとしているかが「なろう系」の読者にはよく伝わる。長くしなければ売れないわけではなくて、伝わればそれで十分なんです。タイトルで本の内容がある程度想像できるというのは、良いタイトルの条件のひとつと言えるでしょう。

短くて秀逸なタイトルというと、芥川賞受賞作の『コンビニ人間』[*11]は作品をイメージさせる力があっていいなと思いました。書店で見て「おお」と目に留まったのは『九十三歳

*10 副題は「異世界行ったら本気だす」。作者は、理不尽な孫の手。小説投稿サイト「小説家になろう」に2012年11月から2015年4月まで初出連載。2014年1月、KADOKAWAから商業出版（全26巻）が開始された。

*11 2016年、文藝春秋刊。作者の村田沙耶香は、同作で第155回芥川賞を受賞。語り手の「私」は彼氏のいない36歳の未婚女性であり、コンビニエンスストアでアルバイトをすること18年目に突入している。

の関ヶ原』[*12]という歴史小説。これもタイトルを見ただけで、関ヶ原の合戦に93歳で出陣した武将がいたんだなってわかるじゃないですか。戦国時代好きの心に響くタイトルだと思いました。

タイトルを見ただけではストーリーやテーマが全然想像できないというのは、やっぱり良いタイトルとは言い難いです。歴史上の名作的なものは別として。いまとは時代が違いますからね。夏目《なつめ》漱石《そうせき》の『こころ』、タイトルだけだとどういう作品かわかりません。でも『吾輩は猫である』は読者もいろいろと想像できる。そういう意味で良いタイトルだと考えます。

タイトルをつけるのがうまいと僕が思っているのは、やはり司馬遼太郎さんです。ストレートで、しかもこのタイトル以外に変えようがないと感じさせられます。土方《ひじかた》歳三《としぞう》が主人公の小説に『燃えよ剣』、斎藤《さいとう》道三《どうさん》が主人公の小説に『国盗《と》り物語』[*13]、坂本《さかもと》龍馬《りょうま》に至っ

＊12　2016年、新潮社刊。作者は近衛龍春。戦国時代の三英傑（信長、秀吉、家康）から弓の名手と認められた美濃国関藩初代藩主、大島光義を主人公にした歴史小説。

＊13　1965－1966年、新潮社刊。一介の油売りから美濃一国を統べるまでに成り上がった斎藤道三と、彼の娘婿で天下統一を目指す織田信長とをそれぞれ主人公にした二部構成の長編歴史小説。

ては『竜馬がゆく』[*14]ですよ。どれも主人公のことを作家自身がどう見ているかが伝わってくる。

そうそう、タイトルには使わないほうがいい言葉、というのも作家や先輩編集者からよく教わりました。ネガティブなイメージを与える言葉は使わないほうがいい、ということ。それから、「消えた」「夢」「幻」のような言葉も避けたほうがいいと。これはどうしてなのかずっと考えているのですが、おそらくそうした単語を使ったタイトルだと、インパクトのある装幀にならないからではないか、といまは思っています。

内容紹介って、ネタバレもあり？

本の裏表紙やネット上に掲載されるあらすじも売るための工夫のひとつです。これは編集者が書きますので、作品の情報をどこまで書いていいのか、悩むところでもあります。

僕がまだ駆け出しの頃に言われたのは「内容の8割、書いていい」ということ。

そんなに書いてしまったらネタバレじゃないか、と思いませんか。ＳＮＳでも品のいい

＊14　１９６３－１９６６年、文藝春秋新社刊。幕末の志士、坂本龍馬を主人公にした長編歴史小説。作者の司馬は、「小説の中では僕のリョウマを動かすのだから」と、敢えて「竜馬」と書いた。

読者のみなさんはネタバレしないように配慮されていますよね。ですが内容の8割を書くことが有効な場合もあるのです。

ある作家の方から「読者は自分の知ってることを確認したくて読んでいる面もあるから、ネタバレは問題ないんですよ」と聞いたことがあります。僕も必要があると判断した場合は、躊躇《ためら》わずに情報開示して、あらすじを書きました。

すべては作品によって、ケースバイケースです。あらすじでネタバレしたところで作品の魅力を損ねないのであれば、8割書いても全然いいと思います。

一方で、世阿弥《ぜあみ》は能楽論書『風姿花伝』の中で「秘するが花」という言葉を残しています。「隠す」ことが演出上の効果につながる、という意味でしょう。書店さん発のアイディアとして、表紙にカバーをかけたり袋に入れたりして、タイトルをわからないようにして販売する仕掛けがあります。僕も以前、似た施策を行ったことがありました。確かに仕掛けた書店では売れるのですが、全国の書店で一斉には企画できないところに課題も感じました。

本の中身がわからない仕掛けがヒットする理由はふたつあると分析しています。

ひとつは、店頭に並ぶ本がどの書店でも画一的になってしまっているので、新鮮に感じるということ。小規模な個人店を除いて、「どの書店に行っても同じものが並んでいるなあ」という印象を、いまの日本の書店は与えてしまっています。これは書店の問題ではなく、日本の書籍流通の問題、つまり配本問題です。この配本問題を考え直さないと、各書店の個性はなかなか出せません。

もうひとつの理由は、読者は自分が普段読んでいるものではない「何か新しいもの」に触れてみたいという思いを持っているからではないでしょうか。ウェブ書店にはレコメンドのシステムもありますが、それだと思いもよらない本との出合いは起こりにくいのです。シリーズものの続刊を待ち望んでいる場合は別として、多くの人は目当ての本だけを買いに書店を訪れるわけではありません。「見たことも想像したこともないものに出合いたい」という読者の思いに応えられるような、内容紹介や売り方の仕掛けを考えていきたいですね。

覚悟を背負った強い帯のキャッチコピー

本のあらすじよりも、さらに販売促進として重要な役割を担うのが帯。どなたかに推薦文をいただく場合もありますが、これも基本的には担当編集者が書きます。新人の頃は、上司の中澤さんにチェックしてもらっていたのですが、まあ厳しかったですね。帯のコピーを5つぐらい書いて持っていったら、すべてボツになってあらためて中澤さんが書くことになった、みたいなこともよくありました。

中澤さんは雑誌編集の経験があるので、インパクトのあるキャッチコピーを書くのがすごくうまかったんです。それを見て、「ああ、なるほど。うまい帯ってこういうことなんだな」と勉強しましたね。雑誌の編集を経験している人たちって、みんな帯を書くのがうまい印象があります。帯文のアイディアが出なくて煮詰まったときには、週刊誌なんかを買って読んでみるのもいい刺激になるかもしれません。

いい帯文を書くために、いろんな帯を見て研究してきました。その中でも、特に記憶に残っているものが3つあります。

ひとつは「この物語を書くために私は作家になった。」。これは『蒼穹《そうきゅう》の昴《すばる》』*15の帯に著者の浅田次郎《あさだじろう》さんのコメントとして載せられました。

もうひとつは、「小説、まだまだいけるじゃん!」。これは伊坂幸太郎《いさかこうたろう》さんの『重力ピエ

*15 1996年、講談社刊。清朝末期の中国を舞台にした歴史小説で、虚実皮膜の面白さに満ちている。第115回直木賞候補に挙がった。

ロ』[16]の帯に担当編集者のコメントとして書かれていたものです。

このふたつの帯はインパクトがあるなあと思いました。なぜかというと、ある種の覚悟を背負っている帯だから。浅田次郎さんが「この物語を書くために私は作家になった。」と言ったら、それまでの作品を受け取った編集者は「オレのもらった作品は本命じゃなかったのか」とちょっとさびしくなってしまうかもしれない。それでもこの作品を読んでもらえば、自分の担当者だったらわかってくれるだろうという思いがなければ、このコメントは書けません。そういう意味で、覚悟のいる帯でしょう。

「小説、まだまだいけるじゃん！」も同様で、『重力ピエロ』の担当編集者には、いままで作品を預けてきた作家たちが何人もいる中でのこの一文です。ほかの作家に「自分の小説は、まだまだいけてなかったんだな」って思わせてしまう可能性を背負っていて、だからこそ強い帯になっている。そうした覚悟を持って、このふたつの帯は書かれています。そこがすごいし、読者への強力なアピールになっているんです。

3つ目は宇山さんが書いた「神か悪魔か綾辻行人か！」。綾辻行人さんの『時計館の殺

＊16　2003年、新潮社刊。「春が二階から落ちてきた。」という書き出しが秀逸。兄弟二人の宿命的な絆を描いた家族小説で、第129回直木賞候補に挙がった。

人』[*17]の帯文です。ここまで断言されたら、もう読むしかないじゃありませんか。この帯文を僕が目にしたのは、まだ文三に異動したばかりの頃でした。当時僕が担当していたデビューして間もない作家の方が、「いずれは宇山さんにこう言ってもらえるような作品が書けたらなあ」と言っていたのをいまでも覚えています。三作品とも帯文に相応しい大傑作なのは言うまでもありません。

帯を考える際にはこれは勝負の作品だと思ったら、「どうやったら自分は覚悟を示すことができるのか」ということを考えてみるのもひとつの手かもしれません。

本当は、ここで自分が書いた帯もご紹介したいところなんですが、さすがにこの3つに匹敵するほどの帯文は僕にはつくれませんでした。これは心残りのひとつですね。本書を読まれた方は、ぜひともこの3つに匹敵する帯文を生み出してください。

装幀はタイトルを引き立てる装置

装幀はなんといっても、作品の顔であるタイトルの印象を強めるためのもの。だからタ

*17 1991年刊行の館シリーズ第5弾。亡き主が〈願望〉を具現化した時計館は、恐ろしくも美しい。第45回日本推理作家協会賞・長編部門受賞作。

イトル自体がいいものであることがまず大事です。インパクトのあるデザインにするためにも、タイトルには具体性があったほうがいいと思います。

講談社ノベルスの場合、装幀をお願いすることが極めて多かったのが辰巳四郎さんです。その頃の辰巳さんは新本格ミステリはもちろん、海外翻訳ミステリからトラベルミステリー、社会派ミステリまでありとあらゆるデザインを手がけていました。判型も単行本から新書、文庫まですべてにわたっていて、月に何冊の装幀をしているのかはご本人以外誰にもわからないという多忙ぶり。辰巳さんには、作品の原稿（校正刷り）をお渡しして、ごく短時間こちらの希望するイメージをお伝えするという依頼の仕方でした。なにしろそういう状況なので、辰巳さん自身が一冊一冊の中身を丁寧に読む時間はほとんど取れなかったと思います。それでも辰巳さんの装幀には「なるほど」と思わされるものが多かった。ただ、タイトルから受けるイメージがはっきりしない場合は、辰巳さんでも素晴らしいものにはならなかったという印象があります。

『姑獲鳥の夏』の場合も、京極夏彦さんと打ち合わせた上で、やはり辰巳さんに依頼しました。辰巳さんにお伝えしたことはふたつありました。和綴じの本をイメージしてほしい、妖怪の絵を描いてほしい、ということです。京極さん自身グラフィックデザイナーでありアートディレクターの経験もありましたが、その2点以外は、完全に辰巳さんにお任せしました。

辰巳さんにはそのほかにもさまざまな本の装幀をお願いしましたが、僕が一番好きなのは、森博嗣さんの『すべてがFになる』のカバーです。辰巳さんはもともとイラストレーターとして出発された方なので、文字中心の装幀はそれほど専門とはされていなかったのです。それにもかかわらず、『すべてがFになる』の場合は森さん自身と作品に合うように、専門書をイメージさせるような文字装幀にしてくださいとお願いしました。ノベルス史上おそらく初の箔押しを使った装幀で、僕のイメージをはるかに上回る格好のいいものになりました。白地に銀の箔と黒い文字が載せられたソリッドなデザインです。

そのときにやはり装幀は白いほうが目立つと実感しました。装幀は白を基調にしたほうがいいということも、昔からよく言われてきたことなのです。どうしてなのか考えてみると、日本人は昔から水墨画が好きだからかもしれません。中国などの水墨画とはまた趣《おもむき》が違って何も描いていない空間を大切にするのが日本の水墨画なのです。このことはメフィスト賞作家で水墨画家の砥《と》上《がみ》裕將《ひろまさ》さんに教わりました。日本人は白で空間を表現したものが好き。それを踏まえて書店で最近どんな装幀の本があるのか眺めてみると、白い本が少ないように感じました。

　いまは絵を描く人のすそ野がものすごく広がって、みなさん絵が非常にうまいですし、人物だけじゃなく背景をうまく描ける人も多くなってきています。その結果、「なろう」系やライトミステリーなどを中心ににぎやかな装幀も増えてきているので、逆にあえて真っ白な背景にひとりの女の子を描くだけ、みたいな装幀も目立つかもしれません。タイトルを引き立たせた上で、ほかの本に埋もれないインパクトをどうつくるのか。書店へ行ってみると、どういう本が目立っているのかがわかります。「いまはこういう装幀が多いから、揺り戻しで次は逆のデザインが流行るのではないか？」なんて自分なりに分析してみると面白いですよ。

第4章

編集者としてミステリを考える

「Q&A」

本格ミステリの編集者として長年考えてきたこと

僕は25歳で文三に異動して以来、ミステリの勉強をし続けてきました。マニアではなかったからこそ、ミステリとは何なのか、どういったミステリが売れるのか、名探偵に必要な要素とは何か、といったことを幾度も考え、試行錯誤して、会社を離れてもいまだに考え続けています。

文芸編集の枠からさらに突っ込んだ内容になりますが、ミステリ編集者としての経験から、ミステリをどのように捉え、編集し、売っていくべきか。この新書の担当者である若手編集者のみなさんから実際にいただいたご質問に答える形でお話ししてみたいと思います。

「ミステリ」とはどんな小説だと考えていますか？

いきなり難しい質問ですね。ミステリとは何かという問いには千人いれば千通りの答えがありますので、以下に述べるのはあくまで僕の考えとして受け止めてください。

ミステリとは何か。僕はこのように考えています。「自分の見ている世界に何らかの不調和が発生したときに、人はどのように考え行動することで、その不調和を解消していくのか」を描く小説です。

なぜ「不調和」という言い方をしたかというと、「謎」というよく使われる言葉でも良いのですが、それよりももっと幅広い現象や状況のことも対象にしたいからです。腑に落ちなかったり、どうもしっくりこなかったりするような、何らかの自分の理解が及ばないことが起きて、それが解消するに至るまでの道筋を描く、と言い換えてもいいでしょう。

このような考えに基づいているので、僕にとってミステリは小説のサブジャンルというよりは、むしろ人間の内面を表現するものであり、極めて普遍的な表現物なのです。特殊なジャンルという認識はありません。

不調和の種類によっては、ミステリ以外のジャンルにもなります。たとえば、「なぜ彼女は自分の送ったメールに返事をしてくれないのか」という不調和を描くのだとすれば、恋愛小説にもなるでしょう。ただし、ミステリの場合は、不調和が解消されるところまで書くことが必要になります。

さらに、解消に至るまでの思考の記述により重点を置いているのが、「本格ミステリ」だと考えています。「偶然解決した」だと、思考の記述は抜け落ちてしまいますので、普通は本格ミステリにはなりえないわけです。

我々人間が見ている世界の中では常に何かしらの不調和が起こります。ですから、ミステリ小説だとしても、それが必ずしも殺人事件である必要はありません。「不調和とその解消を描く小説」ということは、「自分の理解が及ばぬこと（＝他者）を理解しようとする文学」と言ってもいいでしょう。

たとえばエドガー・アラン・ポーの『群衆の人』[*1]という短編小説では、特に事件は起きません。雑踏の中で気になった奇矯な人物を主人公がストーキングするけれど、彼は何も事件を起こしていなかったという話です。これはまさに主人公にとって理解の及ばない他者の正体を追及する小説であり、謎解きはありませんが、主人公の中での不調和は解消されている。僕はミステリと位置付けていいと思っています。

理解が及ばない他者の存在は、時として恐怖をもたらします。特に「人を殺す者」は、もっとも理解が及ばない存在ということになるでしょう。多くのミステリが殺人事件を扱う理由はここにあると僕は考えています。

＊1　原題 *The Man of the Crowd*「グレアムズ・マガジン」創刊号（1840年12月号）初出。この作品を哲学者のベンヤミンが「探偵物語のレントゲン写真のよう」（それが身にまとっているべき衣裳すなわち犯罪が欠落しているから）と評したのは有名。

実は、ミステリにおける不調和は作中人物の中に発生するだけではありません。読者の中に不調和を起こすタイプのミステリも存在しています。「叙述トリック」というスタイルがそれです。フェアに書かれた叙述トリックの作品を注意深く読んでいる読者は「あれ、なんだか変だな」と思うはず。その読者の心に生じた不調和が、終盤で一気に解消するのが叙述トリック作品の醍醐味なのです。

読者の中に不調和を起こす、というのは叙述トリックの作品だけで使われる手法ではありません。歴史小説ですが、伊東潤《いとうじゅん》さんの短編集『戦国鬼譚《きたん》 惨《さん》』*2がその実例です。その後の歴史がどうなっていくのかを知っている読者にとっては、この短編集に登場する歴史上の人物の心理や行動が実に不可解なものに思えるのです。「このままだと歴史が変わってしまうのでは？」と読者に思わせる。もちろんこの短編集は歴史のＩＦを扱う架空歴史小説ではありません。この短編集を読んだときには、こんな手法もあるのか、と驚きました。

不調和にはこのようにいろいろなタイプがあります。この世に不調和がある限り、ミステリのネタは尽きないと言えるでしょう。

---

*2　２０１０年、講談社刊。戦国の世において、甲斐の武田家が滅びに向かうさまを描いた連作短編形式の歴史小説。

どんな謎を提示できれば読者を獲得できるでしょう?

「大どんでん返し」系の作品は、講談社文庫でもずっと売れ続けています。『十角館の殺人』や『ハサミ男』[*3]、『殺戮《さつりく》にいたる病』[*4]、『星降り山荘の殺人』[*5]などが挙げられます。

なぜどんでん返しが売れるのか。もちろん最後に大きな驚きがあるので、読後の印象が強くなる、という理由が一番でしょうが、もうひとつ読者心理による点もあるのではないかと僕は分析しています。

読者は「どんでん返しのラストを、まだ読んでいない人に話しちゃいけない」と思うものです。けれど、話しちゃいけないって思うほど、他人におすすめしたくなるんですよ。

＊3 1999年8月に刊行された第13回メフィスト賞受賞作。女子高生の喉にハサミの刃を次々と突き刺す〝恐怖のハサミ男〟の正体は? オフビートなユーモアにあふれた、サイコサスペンスと本格ミステリの融合作。

＊4 1992年、講談社刊。母親は疑心を深めていた。大学生の息子が、只今世間を騒がせている連続猟奇殺人事件の犯人ではないかと……。我孫子武丸の筆名を一気に高めた、衝撃のサイコサスペンス。

＊5 1996年、講談社刊。〈雪の山荘〉を舞台にしたクローズド・サークル物の本格ミステリ長編で、各章冒頭に〝作者の注意書き〟が示されているのが特徴。第50回日本推理作家協会賞・長編部門の候補に挙がった。

「何も聞かずにとりあえず読んでみて」みたいな感じで。現代はSNSの時代ですからね。読者が拡散したくなって、結果としてロングヒットにつながっているという面もあるはずです。どんでん返しには、読者に語りたいと思わせる魔力がある。つまり読者を獲得しやすい謎と言えます。

逆に難しいなと悩むのは、メタな謎です。作品の中に二重構造みたいなものをつくると、ちょっと夢オチのように感じちゃうんですね。物語を読んでいる最中に、「なんだこれ、つくり話なのか」と冷めてしまう。そういうリスクを背負っているスタイルなので、読者の心をつかむのはなかなか難しい。このジャンルでは、もうすでに竹本健治さんの『匣の中の失楽』[*6]という傑作が世にあります。それクラスのものが書ける自信が作家になければ、メタな謎は避けておいたほうが無難だと思います。

ミステリを世に出す上で大切なことは、読者の意表を突くこと。小説そのものだけではなく、装幀や販売促進も含めて、さまざまなことで、読者をびっくりさせるにはどうしたらいいのかを常に考える。そうすれば、その一冊だけではなく、レーベルや出版社として

＊6　1978年、幻影城刊。本邦ミステリ史において、いわゆる三大奇書（夢野久作『ドグラ・マグラ』、小栗虫太郎『黒死館殺人事件』、中井英夫『虚無への供物』）に、この『匣の中の失楽』を加えて〝四大奇書〟とする歴史的評価はもはや動かない。

も強度を高めることができます。

叙述トリックとはどういうものですか？

「大どんでん返し」として名作になっている作品には、「叙述トリック」系の作品が多いですよね。叙述トリックというのは、一言で言うと「作者が読者に向けて仕掛けるトリック」のことです。具体的な作品名を挙げたいところですが、そうすると完全にネタバレになってしまうのでここでは避けます。

本格ミステリではなくても叙述トリックを使うことは可能ですし、実際よく使われています。たとえば登場人物が最初に登場してきたときに性別を読者に誤認させるという手法です。これを使うことで、その人物を読者に強く印象付けられるという演出効果が狙えます。プロレスでいうところの「痛め技」[*7]のような使い方です。それに対して、本格ミステ

＊7　プロレスにおいて、対戦相手にダメージを与える技のことを示す。試合の序盤、中盤に使われることが多い。

リで叙述トリックを使うときには、プロレスでいう「決め技」[8]になります。「痛め技」じゃなくて「決め技」なんです。ただのジャーマンスープレックスではなくて、橋本千紘《はしもとちひろ》選手[9]の「オブライト」[10]なんですよ。

そうなると、本格ミステリで決め技クラスの叙述トリックを生み出す、というのはなかなか難易度が高い。ひとりの作家が何冊も叙述トリックの傑作を書くのは難しいように思います。

ミステリ、特に新本格ミステリには叙述トリックを使った傑作が多いので、「こんな叙述トリックの作品が書きたい」と憧れて推理作家を目指す方も多いです。実際、メフィスト賞には叙述トリック作品の応募が数多くありましたが、読んでみるとほとんどの応募作の叙述トリックは、簡単に見破ることができてしまうんです。あるいは、完全にアンフェアなものになってしまっているか。読者があっと驚くような叙述トリックを構築することは

＊8　プロレスにおいて、対戦相手に致命的なダメージを与え、勝利の決定打になる技のことを示す。代表例として、オカダ・カズチカ選手の「レインメーカー」などが挙げられる。

＊9　女子プロレス団体センダイガールズプロレスリングに所属するレスラー。アマレス出身で世界学生選手権3位の実績を持つ。リオ五輪金メダリストの土性沙羅選手とも対戦経験がある。

＊10　橋本千紘選手による「ジャーマンスープレックス」のことで必殺技として使用される。ジャーマンスープレックスの名手であったゲイリー・オブライト選手が語源になっている。

至難の業なのですね。

叙述トリックはどんでん返しをつくる装置として有用だけれども、新本格ムーブメントの中で、もうかなりやり尽くされています。それでも、僕もいち読者として、新しい叙述トリックが生み出されるのを楽しみにしています。

たとえば、叙述トリックの中でも男女転換トリックって、これだけ時代が変わってLGBTQへの理解も以前に比べれば進んできている状況だと、リニューアルが必要なテーマですし、実際にこの10年くらいで変化もしてきているようです。そうした状況をみても、まだ叙述トリックには可能性はあると思います。

名探偵キャラのつくり方を教えてください！

「名探偵をつくろう！」と考えると、真っ先に名探偵のキャラを立てようとする方が多いのではないでしょうか。実際、本格に限らずミステリにはキャラの立った名探偵が数えきれないほどいます。しかし、大事なのは語り手であり、視点人物なのです。つまりワトソン役をしっかりつくらないと、名探偵のキャラは立ってきません。

森博嗣さんの『S&Mシリーズ』[*11]の場合は、視点人物と名探偵が一致しているので、名探偵のキャラが立っていれば目的を果たすことになります。そういう名探偵を別にして、視点人物が別にいる形をとる場合は、いかにその視点人物を緻密に造形するかがもっとも重要になります。その人物の年齢、過去の生活、現在置かれている状況などの外的な面はもちろん、興味の対象は何かとか、どんな知識を持っているのかとか、作中に出てくるほかの人物にはどのような感情を抱いているかなど内面もつくりあげます。

つまり、ワトソン役にとって世界がどう見えているのかを考えるんです。僕は編集者になりたての頃、先輩から「とにかく視点を低くしろ」と繰り返し言われてきました。これはどういうことかというと、「全体を俯瞰できるような立場に、視点人物を置くべきではない」ということだと僕は理解しています。

視点人物の得られる情報に制約があるほうが、物語がつくりやすい。これが状況のすべてが見えている、高い視点から物事を見ることができる人物にしてしまうと、物語に謎が

＊11 Sは探偵役である犀川創平（『すべてがFになる』初登場時は国立N大学工学部建築学科助教授）を、Mは犀川探偵のワトソン役と言うにはとどまらない活躍を見せる、教え子の西之園萌絵を指す。いちおう全10巻完結だが、ふたりは他のシリーズ作品にも登場してくる。

なくなってしまうのです。視点人物の得られる情報が限られて、行動範囲や動ける時間などの制約が多ければ多いほど、物語の謎は際立ってきます。ミステリの場合は、視点人物にどうやって制限を加えるかを考えるのもポイントのひとつじゃないかなと思いますね。

また、全体を俯瞰できる立場の人の視点で情報を書き記すと、それは小説というよりは説明になってしまう。そういう立場の人を登場させたかったら、その近くにいる普通の人を視点人物にしないと、やっぱり、いい小説にはなりません。

京極夏彦さんの『百鬼夜行シリーズ』も、古本屋「京極堂」店主・中禅寺秋彦視点ではなく関口巽視点にする必要があるわけです。京極堂視点では、ミステリ小説にはならなかったでしょう。

ちなみに本格ミステリではありませんが、篠田節子さんの『夏の災厄《さいやく》』[12]も視点が見事です。謎の病気が日本中に蔓延《まんえん》する話で、視点人物は謎の病気にかかった患者と対峙する保健所の職員や現場の看護師が担っています。伝染病の研究者の視点を取ることも可能ですが、その場合は研究を進めることに障害が発生するなどの、別種の制約をつくる必要が生

＊12　1995年、毎日新聞社刊。ありふれた郊外の町で、高熱をともなう謎の病で倒れる住民が続出し……。未知の感染症を扱った医療パニック小説であり、コロナ禍を経験した今では予言書的な性格を帯びている。

じてくるでしょう。制約があるからこそ、物語が面白くなってくる。それが、僕が教えられた「視点を低くする」ということなのかなという気がしますね。

視点人物については、第5章であらためて説明します。

新本格ミステリの名探偵に人気が集まる理由は？

特に講談社ノベルスの本格ミステリに登場する名探偵キャラに多くみられる特徴があります。読者は名探偵のキャラクターに、作家自身を投影する傾向にあるということです。つまり、『百鬼夜行シリーズ』を読んだ読者は作中で京極堂と呼ばれる中禅寺秋彦のことを作家・京極夏彦だなと思う。『S&Mシリーズ』の犀川創平《さいかわそうへい》は作家・森博嗣だなと思う。

読者が、名探偵などのメインキャラクターに作家本人を投影できるようなシリーズは人気が出ます。もちろん両者はまったく同じわけではありませんし、そのことは読者自身もよくわかっていることでしょう。それでも、読者は登場人物に作家自身を投影して読むことを楽しんでいるのではないかと思うのです。

ミステリ以外でも、この現象はあるように感じています。たとえば、『銀河英雄伝説』*13が発売された当時、多くの読者は田中芳樹さんをヤン・ウェンリーみたいな人だと想像して読んでいたのではないでしょうか。執筆時の田中さんが大学院生で、キャラクターの年齢と近いことも拍車をかけたと思います。実は編集者になる前の僕自身もそう感じていました。

ただ、ミステリ以外のどんな小説にもこうした現象が起きるわけではありません。時代小説作家の場合は、特にそうです。当たり前ですけれども、史実をもとにしていて、キャラクターも実在した過去の人物ですからね。『燃えよ剣』を読んで司馬遼太郎さんを土方歳三に重ねる人はいません。『鬼平犯科帳』を読んで池波正太郎《いけなみしょうたろう》さんを長谷川平蔵《はせがわへいぞう》だと思っている人もいないでしょう。

逆に私小説系の作品では、作中人物に作者が投影されていると考えるのが当然ですよね。ミステリに話を限ると、歴史的にずっと「作家投影型」の名探偵が人気だったのかというと、そうではありません。明智小五郎《あけちこごろう》や金田一耕助《きんだいちこうすけ》はキャラが立った名探偵というイメ

*13 田中芳樹が足掛け8年で書き上げたスペース・オペラの大作。遠い未来の銀河系を舞台に繰り広げられるヤン・ウェンリーら多くの〈英雄〉たちの攻防を、歴史小説のスタイルで叙述している。正伝10巻、外伝4巻の全14巻。

ージはあるけれど、作家が投影されているとは受け止められていません。西村京太郎さんを十津川《とつがわ》警部みたいな人だと思っている人も、おそらくいないでしょう。

そう考えると、作家自身を名探偵のキャラクターに投影することは、新本格ミステリから始まる講談社ノベルス・ミステリの特徴のひとつと言ってよさそうです。

先ほど挙げた京極夏彦さんや森博嗣さん以前の、新本格ミステリムーブメントの第1世代からそういう傾向がありました。法月綸太郎さんは同名の名探偵『法月綸太郎シリーズ』を書かれていますし、有栖川有栖《ありすがわありす》さんの『火村英生《ひむらひでお》シリーズ』ではワトソン役の推理作家として有栖川有栖というキャラクターが登場します。さらにさかのぼれば、島田荘司さんの名探偵・御手洗潔《みたらいきよし》も、島田荘司さん自身を彷彿とさせるキャラクターですし、笠井潔《かさいきよし》さんの矢吹駆《やぶきかける》も笠井さん自身を思わせます。島田さんは宇山さんとともに新本格ミステリの産みの親ともいうべき存在ですし、笠井さんも新本格ミステリを理論的に支えた方です。名探偵キャラクターから見てもひとつの流れを辿ることができそうです。

そうしたシリーズものの人気作がいくつもあったことはメフィスト賞も含めた講談社ノベルス、新本格ミステリの強みだったと思います。

作中に作家自身が投影されていると思わせる登場人物が出てくることは、作家本人に対する人気にもつながりました。

講談社ノベルスの人気作家の講演やサイン会には、数多くのファンが集まりますし、小説の舞台を巡るファンも大勢います。

読者に「作者自身が投影されている」と思わせるキャラクターをつくれるのは、僕は小説の持っている強みのひとつだなと思っています。マンガなどのほかの創作物でも同じようなことが起こっているのかどうかは、興味深いところです。

社会派ミステリについてはどう考えていますか？

ミステリにはさまざまなジャンルがありますが、なかでも社会派ミステリはリアルな社会問題を作品のテーマにしているものです。時代の流れが早い昨今では、題材となるものがますます豊富になっているジャンルであると言えるかもしれません。

社会派ミステリを考える上では、ノンフィクションをライバルとして考える必要があると思っています。同じ題材を扱ったノンフィクションとミステリが目の前に並べられたとき、ミステリファンではない限り、読者は「つくり話じゃないから」という理由で、ノンフィクションを選ぶ場合が多いのではないでしょうか。

それでは社会派ミステリの存在意義はどこにあるのかというと、またも同じ主張を繰り返してしまいますが、視点人物が存在していることなのです。社会問題をどのような人物の視点から語るか。社会問題と語り手の組み合わせがあってこそ、小説として成り立ちます。小説が社会的なテーマを扱う場合、ジャーナリスティックに事実を伝えようとするのではなくて、あくまでひとりの人間からその問題がどのように見えているのか、ということを考える。そうすれば社会派ミステリはノンフィクションに劣るものにはなりません。むしろ非常に意義のある表現方法だと思いますね。特定の人物を通して事件や社会問題が語られるからこそ、読者はただの情報ではなく、自分自身が体験した出来事のように理解することができるのです。

ここでも先ほど「名探偵のつくり方」でお話しした、語り手の視点を低くすることが重要になってきます。社会問題を取り上げるときにやりがちなのが、社会部の新聞記者を視点人物にしてしまうこと。「記者」という立場は小説上のフリーハンドが大きくなりすぎてしまいがちなんです。物語をつくる上での制約が少ない。また事件記者はどこまでいっても社会問題に関しては第三者であって当事者ではないんですね。問題を起こす側でもなければ被害者でもなく、捜査する側でもない。こうしたいわば「弱点」を理解した上で乗り越える必要があります。

事件記者であれば、事件について俯瞰して説明できるので小説を書くときには便利ですけれども、でも便利なことというのは小説では逆に失敗する原因になる場合が多いので、注意しなければなりません。政治部の記者が汚職を暴くという設定だったら、汚職を暴こうとする記者は捜査側に近い立場でいわば当事者なのでまた話が違うと思いますが。そうしたことも考慮した上で、視点人物の造形を考える必要があります。考えた結果として、やっぱり社会部の記者にするという選択はありえますし、それで成功している作品ももちろん存在します。

歴史ミステリについてはどう考えていますか？

さまざまなミステリがありますが、その中でも歴史ミステリは特につくるのが難しいのではないでしょうか。「歴史上の謎」と「殺人事件などのミステリ的な謎」の両者がうまく組み合わせられないケースが多いのです。

なぜかというと、歴史上の謎はスケールが大きいから。歴史をめぐる実在する巨大な謎と、殺人事件という虚構の謎を両方並べたときに、どうしても後者が貧相に見えてしまうのです。

たとえば、架空の作品として『本能寺修学旅行生殺人事件』というのを考えてみましょう。本能寺の変の真相を修学旅行生が推理している中で、現実に殺人事件が起きるという内容です。おそらく作中で書かれる殺人事件より、本能寺で信長を殺した黒幕は誰かという謎のほうが大きくなってしまうでしょう。ふたつの謎のバランスを取るのは非常に難しいです。

高田崇史《たかだたかふみ》さんの歴史ミステリ『QED 六歌仙《ろっかせん》の暗号』[*14]はそれに成功しています。民俗学的な謎をまず最初に持ってきて、そこから歴史の謎に入っていくというスタイルを取ったことがうまくいった理由でしょう。最初にちょっと身近で小さめの謎を持ってきて、そ

*14 博覧強記の薬剤師、「タタル」こと桑原崇が、主に日本の歴史上の謎に挑むQEDシリーズ第2弾。おめでたい七福神と、紀貫之が和歌の名人と認めた六歌仙（在原業平や小野小町ら）をケレン味たっぷりに結びつける。

こからスケールアップしていくスタイルです。これだと現実の殺人事件とのスケールのギャップは少なくなります。「七福神を卒論で扱ってはいけない」というのは非常にチャーミングな謎だと思いませんか。歴史ミステリが好きな人と民俗学は相性がいいというのが僕の個人的な見解です。『QED 六歌仙の暗号』のようなスタイルをつくりあげることができれば、歴史上の謎と事件の謎の組み合わせはうまくいくと思います。

社会派ミステリにしろ歴史ミステリにしろ、事実とフィクションのあいだにどのように架け橋をつくっていくのかが難しい問題です。しかし、誰の視点から見た謎なのかをはっきりさせれば、解決策は見つかるはずです。

こうしたミステリの中でも難易度が高いジャンルもあるということをお話ししてきましたが、それもひとつの「制約」でしかありません。むしろ逆にその制約を活かして、新しいアイディアを生み出していただきたいのです。どんな制約でも、作家がそれを意識した上で挑むのならば、乗り越えられると信じています。編集者も、作家の書きたいミステリを十分に理解して、そこに生じる制約をわかった上で、そのハードルを超えるためのお手伝いができれば、編集者冥利に尽きるというものです。

特殊設定ミステリについてはどのように考えていますか？

特殊設定ミステリには独特の面白さがありますね。僕も好きな作品が多いです。特殊設定ミステリとは、現実世界（この言葉はいまやその輪郭が極めてあいまいなものになってはいますが）では起こりえないSF的な事態の発生や、ファンタジー的な世界観が前提となって、そうした状況の中で事件が発生するタイプのミステリです。いまや隆盛を極めているジャンルですが、現在の状況に至る端緒となったのは、西澤保彦《にしざわやすひこ》さんが講談社ノベルスで発表した『人格転移の殺人』[*15]や『七回死んだ男』[*16]などの一連の作品群だと僕は思っています。まだ「特殊設定ミステリ」という言葉自体が使われていなかった時代に発表された作品ですが、いま読んでもアイディアの面白さや驚きが薄れていない傑作です。

こうした特殊設定ミステリの魅力は、その作品の「設定」を知る楽しみにもあるのでは

＊15　1996年7月刊。2人以上8人まで、その〝部屋〟に侵入した者どもの人格を半永久的に転移させる不可思議な装置が登場する。西澤流特殊設定ミステリの最高傑作との呼び声が高い。

＊16　1995年10月刊。同じ日を9回繰り返す特異体質を持つ男子高校生が、祖父の死を回避すべく奮闘する。第49回日本推理作家協会賞・長編部門の候補に挙がった。

ないかと僕は考えています。自分の知らない世界のルールを知る楽しみ、我々の知っている日常がどのように歪んでいくのかを観察する面白さ。これはRPGなどのゲームの持つ魅力に近いと思っています。そう考えると特殊設定ミステリの謎解きは、ゲームの「攻略法」とも似ていると言えるかもしれません。「ああ、こうすればよかったんだ!」という感じ。与えられたタスクを発想の転換などによって成し遂げるような感覚です。厳密なルールが明瞭に開示されていて、その中での攻略を目指すという点では、従来の本格ミステリと比べてよりゲーム的になっています。本格ミステリの謎解きの面白さに、その世界特有のルールを知る楽しみが加わっている点が人気の秘密なのではないでしょうか。

僕は世の中には「設定」好きな人がかなりの数でいるのではないかと思っています。物語だけでなく、その物語の背景にあって必ずしも明示されているわけではない「設定」を知りたいという欲求を持つ人たちです。「設定資料集」や「攻略本」を読み込んだりするのが好きな人たちでもあります。そうした設定好きな人たちは、自分でも独自の設定をつくりたいという気持ちを抱くことが多いので、創作との親和性も高そうです。

「設定」を知る楽しみを味わえる小説ジャンルはほかにもあります。「デスゲーム」ものや、「なろう系」の異世界ファンタジーです。これらのジャンルは、RPG系ゲームの持つ面白さを小説に積極的に取り込んでいます。こうしたゲームの持つ面白さを小説に取り込む試みはいつから始まって、どのように発展していったのか実に興味深いと僕は思っています。意図的にそうした面白さを取り入れた作品としては、1988年に刊行されたベニー松山《まつやま》さんの『小説ウィザードリィ 隣り合わせの灰と青春』や1989年に刊行された深《ふか》沢《ざわ》美《み》潮《しお》さんの『フォーチュン・クエスト』などが挙げられると思います。さらには日本では1984年に刊行されたスティーブ・ジャクソンの『火吹山の魔法使い』に始まるゲーム・ブックまで源流を辿れるかもしれません。ゲームにインスパイアーされた小説の発展史を分析してみたくなりますね。また、ゲームの持つ面白さを小説に取り込んだことが、なぜ読者の支持を得ているのかもさらに考えてみたいところです。

　特殊設定ミステリの話に戻りますが、最初に設定を打ち出して、その中で物語が展開していくというスタイルは、「投稿サイト」にも向いているように思えます。ミステリ、特に本格ミステリは小説の性質上、投稿サイトに向いていないとずっと思われてきましたが、特殊設定ミステリはその状況を突破できる可能性があります。そう考えると、特殊設定ミステリのすそ野はさらに広がるでしょう。すそ野が広がれば、大傑作が生まれる可能性も高まります。特殊設定ミステリは今後もさらに盛り上がっていくのではないでしょうか。

文学賞を狙うべきでしょうか?

まずご説明しておきますと、各出版社が主催している「文学賞」には2種類があります。公募の新人賞と、既にデビューした作家を対象とするものです。前者は講談社だと「群像新人文学賞」「小説現代長編新人賞」などがあります。「メフィスト賞」もこちらに分類できます。後者は「直木賞」が一番有名でしょう。同時に発表される「芥川賞」のほうは文芸雑誌に載ったデビュー作がそのまま受賞することも珍しくないので、新人賞的な側面も強い賞です。ほかにも「本屋大賞」や各自治体が主催している文学賞もあります。

確かにいくつかの文学賞は、受賞することで販売促進につながるケースもあります。そのため、ご質問いただいたように、賞を狙うという考え方もおかしくはありません。ですが、文学賞を狙って書いても実際に受賞できるとは限りません。あくまで、「賞は結果」という考え方のほうが自然だと思います。もちろん公募の新人賞の場合は別です。こちらは賞を狙って書いて応募しなければ、デビューに結び付きません。

これでは、あまりにも当たり前すぎる答えなので、ここでいまの日本の文学賞について考えていることも述べておきます。

　僕が気になるのは文学賞を受賞しても日本国内でしか話題にならないことです。受賞作に翻訳のオファーが相次ぐようなことも、記者会見や授賞式に外国のメディアが取材に来ることもありません。費用や人的コストもかけているのに、これはもったいない。ブッカー賞やゴンクール賞、全米図書賞やさらにはノーベル文学賞のように他国にも注目される賞が日本にあったなら、日本の小説はもっと大きく花開くことでしょう。

　こうした状況を突破するために、各出版社の思惑を超えたオールジャパンの賞をつくれないものかと夢想します。もちろんそれだけではまだ足りません。翻訳をどうするかなど日本語の問題も越えなければなりません。関係省庁の協力も必要でしょう。

　実現するには難しい問題が山積みですが、世界中の作家が日本で主催されている文学賞を狙ってくれるような時代が到来することを願っています。

新人賞は今後どうしていくのがいいと思いますか?

1995年、僕たち講談社の文三がメフィスト賞を立ち上げると、あとを追うように編集者だけが選ぶ小説新人賞が各社からいくつか創設されました。ですが、いまでも主な新人賞の選考方法はメフィスト賞以前と大きく変わってはいません。書評家が下読みをして、賞によっては編集部が下選考して、最終候補作を決定。最終的には選考委員の作家が受賞作を決める、というシステムが主流です。

僕はこうしたシステムを否定するつもりはありませんが、もっと多様な選考方法があったほうが、販売促進の面だけでなく、出版業界全体のために良いのではないかとは思っています。なぜなら、小説に関わるそれぞれの立場によって、見えるもの、見ているものが違うからです。

応募者が作品をどういうつもりで書いたのか、応募者が作家として今後どのように成長していくのかは、実作者である作家だからこそわかることです。ですが、編集者だからわかる点もあります。それは、作品には「売り」があるのかどうか。「この小説を書いている作家及びこの作品を売り出すことができるのだろうか？」という観点で編集者は作品を見ています。同じ候補作だったとしても、選ぶのが作家なのか編集者なのかで、受賞作が異なることもありえるでしょう。

それから『このミステリーがすごい！』大賞は、書評家の方々が選ぶ賞。この選考方法も良いですよね。なぜかというと、書評家の方々はミステリーというジャンル全体の状況を編集者以上によく見ているので、全体を俯瞰して見る立場からも作品を選ぶことができます。作家とも編集者とも違う目線を持っているのです。

僕はいろんな形の新人賞が並立しているべきだと思います。いま以上にいろいろな選び方が増えてほしいとも思っています。選ぶ立場ごとに、見出すことができる才能は違うのですから。

本を売るためにどんな仕掛けを考えたらいいでしょうか？

編集者が売るための仕掛けを考えるとき、「作品にほかとの差異をつくり出すこと」が最大の戦略です。

既存の作品や流行っている作品と、ちょっと違うことをやる。なおかつ、違っている部分をアピールポイントにする。違いを「売り」にするということです。いまの流行に対して、マイナーにならない方向で、明確な違いをつくっていく。どうやったら差異をつくり出すことができるのか。そう考え続けることで、作品を仕掛けるための方法が見えてくるのではないでしょうか。

これまでお話ししてきた通り、僕は長らくミステリ小説をメインに編集をしてきました。半ば引退した身ですが、もしも僕がこれから作家にミステリ小説を依頼するとしたら、どうするか。思考実験として、ちょっと考えてみましょう。

僕なら、いまはライトなミステリが非常に多くなっているので、真逆を狙います。読者の知識欲を刺激するタイプの小説をつくってみる。日本のミステリ小説史上の「三大奇書」に数えられる『黒死館殺人事件』[*17]の現代版みたいな方向性で、僕ならチャレンジしてみたいです。時代は変わったとはいえ、「読んでいることで、まわりから一目置かれるような

＊17　1935年、新潮社刊。『ドグラ・マグラ』『虚無への供物』と並んで本邦ミステリ史上の三大奇書に数えられるオカルトミステリ。昭和の戦争の時代、この一冊を背嚢《はいのう》の中に入れて戦地に赴いたミステリファンのいち青年がいた、というエピソードは有名。

本」というのはまだまだつくれるはず。

そういう作品を書けそうな作家を見つけて依頼するのもいいですし、研究者や評論家などに小説にチャレンジしてもらうのも面白いと思います。

そうして、ほかの人がやらないようなことを続けていれば、それが「編集者としての自分の売り」にもなっていく。「そういうものが書きたかった！」という作家とも出会えるようになり、自然と自分のところに作品が集まってきます。宇山さんはそうやって「新本格」ムーブメントを起こしました。

もちろん、これは僕が考えた一例にすぎません。「差異」のつくり方はまだまだいくらでも考えられます。ここが小説編集者としての企画力の見せどころなのです。


いまは多くのコンテンツがユーザーの時間を奪い合っていますが、小説はそこにどう挑んだらいいでしょう？

これはまさにいまの編集者の悩みですね。僕の現役時代にはなかったことです。でも会社にいた時代の終わりの頃にはこの問題は大きくなっていましたので、僕なりに考えていました。

動画やSNS、ソシャゲなどさまざまなコンテンツが溢れる中で、いかにユーザーに選ばれ、時間を割いてもらうか。娯楽の選択肢が無限にある時代ですよね。他人と共通の話題で盛り上がりたい人や、スタンプラリーみたいな感覚でコンテンツを制覇していく人たちの時間をどうやって小説に割いてもらうことができるか。

僕はふたつの方向があると思います。まずはこの奪い合いに真剣に参加する方向です。その場合は、小説を特別視しないで、フラットに見た上で、ほかのコンテンツがどのようにユーザーに選ばれているかを考えることです。当たり前ですよね。でも、その当たり前のことが小説にどっぷり浸かった編集者には難しいかもしれない。この方向で勝とうと思ったら、小説をあくまでコンテンツのひとつとして考えて特別視しない人、つまりSNSネイティブの若い世代の編集者を育てることが必要です。出版社の採用はどうしても「本好きな人」に偏《かたよ》ってしまいますから、一定程度「もうスマホでしかコンテンツには触れない」という学生を採用すべき時期になっているんじゃないでしょうか。

しかし、これではいま悩んでいる編集者の方への答えにはなっていませんね。もう少し考えてみました。

小説の「簡易版」をつくってオリジナルと同時発売してみるというのはいかがでしょうか。これはよくある「あらすじ紹介」ではありません。小説のクライマックス部分を切り出し、その前後は内容を要約して短い時間で読めるようにするのです。こうした方法は作家の方には大きな抵抗感があるのは当然です。しかし、僕はそのスタイルで遠藤周作《えんどうしゅうさく》さんの『沈黙』[*18]を読みました。高校時代の国語の教科書にそういう形で載っていたからです。「あの名作をそんな形で！」と思われる方の気持ちはよくわかりますし、僕も同感です。ただ、「そんな形」でも、一度も『沈黙』を読まないよりは、ずっと良いとも思うのです。もし時間の奪い合いに参戦するのであれば、こういう方法を検討してみても良いのではないでしょうか。

もうひとつは「時間の奪い合いって、一体誰の時間を奪うのかな？」と考えてみることでしょうね。時間の奪い合いには挑まないという方向です。みんながみんな、コンテンツのスタンプラリーをやっているわけではありません。SNSでショート動画を観る人、じ

*18　1966年、新潮社刊。江戸時代初期のキリシタン弾圧をテーマに描いた歴史小説で、第2回谷崎潤一郎賞を受賞。なお、国語教科書における簡易版といえば、登場人物Kが自殺に至る部分だけ切り出されがちな夏目漱石の『こころ』が代表格だろう。

っくり時間をかけて小説を読む人、どちらも好きな人。そのうち、じっくり時間をかけてコンテンツを楽しみたいという人にアプローチを絞るのです。

会社を辞めたからこそ感じるのですが、地方に住んでいるといまどんな新刊が刊行されているのかほとんど知ることができません。昔は新聞広告が有効だったんですが、近頃はみんな新聞を取っていませんし。図書館をよく利用するので、そこに各社の新刊案内のポスターが張られていたらなあ、とはよく思います。『ダ・ヴィンチ』とか本の紹介誌もあるんだけれど、小説に偏っています。できるだけジャンルに偏りのない本・コミックの紹介誌があるとありがたいんですが。新刊の情報に飢えている人はいるんですよ。現状では「コンテンツのスタンプラリーをやっていない人」に本の情報は届ききっていないように感じます。そういう人たちに「どうやったら面白い本の情報を得られるのか」を伝えるところから始めてほしいと思います。これはいまの僕にとっては切実な願いでもあります。

第5章

これからの小説の書き方を考える

この章では、これからの小説の書き方を考えてみます。書くのは作家ですが、編集者も「書き方」の基本を知って、自分の考えを持たねばなりません。

そこでまず、前半では小説を書く上で極めて重要な「視点」の話をします。その次に、これからの小説の未来を変えるであろう「書き言葉」の問題についてじっくり語っていきます。

小説で「視点」が大切なのはなぜか

小説における「視点」とは何か

小説は、特定の視点人物を通して、その人から見た世界を描く表現ジャンルです（あとで説明する「神の視点」をとる小説は除きます）。つまり、小説の中で描かれる世界はあくまで視点人物によって認識されているものなのです。視点人物が知りえない事実や、認識していないことなどを語ることはできません。したがって、視点人物が変われば見える世界もがらりと変わります。作中の人物に対する感情や、出来事への評価なども視点人物が変われば、それに伴って変化するわけです。マンガの場合は小説と違い、視点人物は基本的には存在しません。「神の視点」で描かれています。

そう考えると、視点人物の存在こそが、小説を小説たらしめている、と考えることもできます。視点人物が確実に必要とされている表現ジャンルって、一般的には小説と、プレイヤーキャラクターを操るタイプのゲームぐらいなのではないでしょうか。

ミステリに限らず小説において一番重要なのは、視点人物であるというのが、僕の持論です。視点人物の魅力こそが、読者に読みたいと思わせる一番のポイントとなります。

「小説の視点人物のパターンについて、さらに詳しくお話しします。ただ、これは「小説とはいかなる表現形態なのか」という根源的なテーマなので、それだけで新書一冊分の内容になってしまいますし、僕自身まだ十分に語り尽くせるほど考えが煮詰まっているわけではありません。とはいえ、小説編集者として、もっとも時間をかけて考えてきたことなので、できる限り簡潔に語ってみます。

小説の「視点人物」について語られることは多いのですが、僕はそこに「物語の語り手」という補助線を加えてみようと思います。

まず一人称。「私はそのとき自分が編集者であることをはっきりと意識した」というような書き方です。この場合、物語の語り手は視点人物である「私」です。「私」が知りえない事実を語ることはできません。制限の多い表現方法ですが、そのぶん読者の気持ちを視点人物の見ている世界に強く引き込むことが可能です。読者は視点人物の感情に同調して物語を視点人物とともに体験していくことになります。感情や思考の筋道をダイレクトに表現できる、という小説の強みがもっとも活かされる書き方と言えるでしょう。

それに対して三人称では「物語の語り手」と「視点人物」は別になります。この文例だと視点人物は「太田」、語り手は太田の視点を通して物語を語っている何者か（あえていえば著者）、ということになります。三人称でも、基本的には視点人物が知りえない事実を、その視点人物を通して語っている場面では描くことができません。しかしこのスタイルだと、複数の視点人物を登場させて、作中で切り替えることが可能になり、一人称だと難しい状況の説明をすることも比較的にやりやすくなります。とはいえ、それをやりすぎると読者は小説ではなく説明を読んでいる気持ちになってしまうので注意が必要です。また視点を語り手自身に移す（視点人物を通さずに語る）ことによって、視点人物が知りえない情報を語ることも可能になります。

ミステリの場合は、三人称でも語り手と視点人物がほぼ一体化しているような書き方が多くみられます。これは読者への情報提供をフェアに行わなければならない、という性質がミステリにはあるからです。視点人物が知りえない情報を語ることも、ごく限られた状況でない限り基本的には行われません。その結果、読者が語り手の存在を意識することはほぼありません。視点人物＝語り手と言っても問題ないくらいです。視点人物を限定し、情報提供をフェアに行おうと意識した結果、ミステリにおける視点人物の造形がより深いものになったのではないかとも思っています。

それに対して、語り手の存在を作中ではっきり意識させるタイプの書き方も存在します。主として歴史小説にみられる手法で、視点人物が知りえないその後の歴史の流れや、他地域の状況などを語り手が説明する書き方です。この場合でも、語り手が「誰」なのかを特に明示しない書き方がいまは多いようです。語り手が語るのはあくまで限られた状況説明に留まり、語り手自身の歴史観や人物評価を語るようなことは少なくなっています。いわばドラマのナレーションのような役割で、語り手自身の個性が作中に表れることはありません。

それとは別に、語り手の歴史観がしっかりと表されるタイプの小説も存在します。有名な作品では、歴史小説ではありませんが田中芳樹さんの『銀河英雄伝説』がそのタイプです。語り手は「物語に描かれている時代よりも後世の、歴史家ないし歴史作家と思しき人物」。作中人物に対する後世のさまざまな歴史的評価などを述べつつ、語り手自身の歴史観が表される書き方がなされており、いわば「架空の歴史をもとにした歴史批評」と呼べるようなスタイルです。

ただし、この作品でも「語り手が具体的に誰なのか」は特に明らかにはされていません。この作品では語り手が自在に視点人物を切り替えて語っていきますが、主要登場人物の中に視点にならない人物がひとりいて、それが終幕の余韻《よいん》につながっています。小説は「語らない」ことでも、表現できるものがあることを示す好例です。

『銀河英雄伝説』はキャラクターの魅力について言及されることが多い作品ですが、この語りのスタイルがキャラクターを描く上でも大きく寄与していることに、もっと注目されても良いと思います。

さらに、「筆者はこう思った」のように、語っているのが「著者」であることを読者にはっきりと明示する書き方もあります。司馬遼太郎さんの作品など少し前の歴史小説に多く見られる書き方です。これはエッセイやノンフィクションに近い書き方であるとも言うことができるでしょう。当然、著者自身の歴史観がはっきりと表れます。司馬遼太郎さんの作品に対して「司馬史観」と言われることがあるのは、こうした表現技法上の理由もあるのではないでしょうか。

さらにさらに。語り手が誰であるのか作中ではっきり明示しつつ、それが著者ではない、という書き方も存在しています。有名な作品ではトールキンの『指輪物語』[*1]がそうですね。語り手は作品世界に存在する架空の書物の著者で、トールキン自身はそれを翻訳しているというスタイルを取っています。かなり珍しいタイプです。

もうひとつ付け加えると、視点人物をまったく限定しないという書き方も存在します。いわゆる「神の視点」という書き方です。これは視点人物という制限がないぶん、あらゆる情報を書くことができるスタイルですが、この書き方を取っている小説は現在では少なくなっています。それは視点人物による制限が加わっているからこそ小説が面白くなるし、視点人物を造形していくことこそが小説であるという考え方が広く共有されてきたからだと思います。

視点の乱れ

「神の視点」を除けば、ある視点人物によって語られている部分に、その視点人物が知り

*1　原題 *The Lord of the Rings*　J・R・R・トールキンの手になるヒロイック・ファンタジーの大作。1954年－1955年、「旅の仲間」「二つの塔」「王の帰還」の三部作が刊行された。ピーター・ジャクソン監督の映画シリーズも大ヒット。

えない情報、たとえば視点人物が対面している人物の心理などが描かれてしまうと、それは「視点の乱れ」ということになります。僕は編集者として駆け出しの頃にこの「視点の乱れ」に対しては注意するように厳しく指導を受けましたし、おそらくいまの若手編集者もそうなのではないでしょうか。

この視点の乱れは、一人称の場合はまず起こりません。三人称でも視点人物がひとりに固定されている場合は起きにくいです。視点人物を切り替えて語っていく場合に起きてしまうことが多いと言えるでしょう。これも実例を挙げてみます。

視点人物は「唐木」、対話の相手を「太田」とします。

太田は唐木の言うことを信用しなかった。

この書き方だと、唐木から見て太田の心情はわからないはずなのに、「信用しなかった」と断言してしまっています。これは太田を視点人物とする書き方です。唐木視点の場面でこうした書き方をしてしまうと、視点の乱れということになります。次の書き方ならばOKです。

太田は唐木の言うことを信用していないようだった。

これならば、唐木は太田の心情を想像しているだけなので、唐木視点の書き方として問題ありません。こうした視点の乱れは、プロ作家の原稿でもたまに見かけることがありました。つい流れで書いてしまうことがあるのです。編集者が原稿を見るときに注意しなければならない点のひとつです。

能における「視点人物」

僕は小説以外の他ジャンルの表現に接するときも、つい「視点人物」や「視点の乱れ」について考えてしまいます。

「視点人物が確実に必要とされるジャンルは、一般的には小説とプレイヤーキャラクターを操るタイプのゲームくらい」と先ほど書きましたが、もうひとつ視点人物が重要な役割を果たしている表現があります。それは世阿弥の夢幻能《むげんのう》です。

夢幻能というのは、能の形式のひとつです。諸国を巡っている旅の僧（ワキ＝脇役）などの前に、ある人（シテ＝主役）があらわれて、その土地にゆかりのある「過去の人物」の話などをします。能の後半では、シテの正体が明らかに。彼は「過去の人物」そのものの亡霊だったのです。亡霊は自分自身の物語を語り、最後は舞を舞いながら消えていきます。これが基本的なスタイルです。

夢幻能を初めて見たとき「なぜあのお坊さんは途中からずっと座ったままで動かないのだろう？　何もしないなら舞台から退場すればいいのに」と不思議に思いました。能について知るうち、あのお坊さんは視点人物というべき存在なのだと気づきました。夢幻能の後半は、ワキが見ている夢の中が描かれているのです。能の解説などを読んでも「視点人物」という言い方はあまりしていないようですが、僕からすれば夢幻能におけるワキはまさに視点人物です。夢幻能は視点人物を限定し、しかも舞台上にずっと存在させておくという、珍しいスタイルの演劇という言い方もできそうです。

そう考えると、能の歴史で起きた有名なエピソードについてもちょっと違った見方ができるのではないかと思いつきました。それは、世阿弥の息子観世《かんぜ》元雅《もとまさ》による「隅田川《すみだがわ》」という能にまつわる話です。「隅田川」は、人買いにさらわれた我が子の行方をもとめて母親が東国まで旅をして、隅田川に至ったところで我が子がすでに亡くなっていることを知るというストーリーなのですが、この能のクライマックス場面で、子供の幽霊を実際に舞台上に出すべきなのか、それとも出さずに表現すべきなのか、元雅と世阿弥とのあいだで議論になったことが『申楽談儀《さるがくだんぎ》』[*2]という本に記されています。子方《こかた》（子役）を実際に出すべきであるという元雅に対して、世阿弥は出すべきではない、という意見なのです。これは視点を大切にする小説編集者からすると、「視点の乱れ」問題に思えます。先述した通り世阿弥の夢幻能ではワキは視点人物で、ワキに見えている世界を舞台上に表現するというものです。隅田川の場合、子供の幽霊を見ているのはあくまで母親なのであって、ワキである隅田川の渡し守《もり》に見えているわけではない、だから舞台上に出してはいけない（出したら、それは「視点の乱れ」ということになる）というのが世阿弥の主張だったのではないでしょうか。それに対して元雅は子方を出すことにこだわり、結果としては元雅の主張通りの演出になっています。世阿弥は「我が子元雅にしても、自分の考える能を理解していないのか」という気持ちになったのではないかと想像してしまいますね。まあ隅田川は夢幻能ではありませんし、この論争はただ演出上の効果をめぐるものだったのかもしれません。しかし、世阿弥にとっては極めて大きな問題であったからこそ、論争があったことが後世

＊2　世子六十以後申楽談儀、通称「申楽談儀」。室町時代、1430年成立。「世子」とは世阿弥の尊称であり、世阿弥の次男、観世七郎元能が、父が語った芸談を筆録した能楽論の書。

にも伝わっているのだと思います。室町時代から「視点人物」の問題に真剣に頭を悩ませている表現者がいた、と考えると僕はちょっと嬉しくなり、世阿弥に勝手な親近感を覚えてしまうのです。

視点の取り方と語り手については、ほかにも「二人称」など特殊なスタイルもあります。また、語り手だけでなく物語の「聞き手」にも意識を向けている宮部みゆきさんの作品についても語ってみたいところですが、すでに大幅にページを割いてしまいましたので、ここまでにしておこうと思います。「小説を読むときに『視点』や表現のスタイルのことなど考えていたら楽しくないんじゃないか」と思われる読者の方もいらっしゃるかもしれません。でも、僕にとっては、ストーリーを楽しみながら、スタイルについても考えるのが好きでたまらないのです。これは会社を退職したいまでも変わらない、編集者の性《さが》なのかもしれません。

小説の未来を変える「書き言葉」の開拓を

小説が売れない理由とは

さて、それではここからは、小説の未来について、僕が編集者としてどう考えているかをお話しします。

いまは小説が売れない時代だと言われています。小説だけではありません。ノンフィクションや一般書、新書に至るまで文字ものの本全体が売れていないのです。実際、小説の売り上げは1990年代をピークに下り坂にあります。ところが、出版業界全体で見ると、近年売り上げを伸ばして過去最高の業績を上げている出版社もあります。

そうした出版社では、ほとんどの場合マンガの売り上げが伸びています。マンガの売り上げの飛躍には電子書籍への移行や二次展開、海外進出などが成功したことを始め、さまざまな要因があります。

一方、なぜ小説は売れなくなったのか。スマホの普及などによる娯楽の多様化や、読者の高齢化、経済状況の変化など理由を挙げたらキリがありません。ですが、マンガが置かれている環境も大差はないはずですから、そうした出版界の外的要因だけでは説明がつきません。その理由を僕は会社を辞めたあとも、ずっと考え続けています。

いま僕は、小説を始めとした文字ものの本が売れない理由には「書き言葉」の問題があるのではないかと考えるようになりました。

現在は人類のコミュニケーション史上の大変革期です。こう書くと大げさに思われるかもしれませんが、書き言葉によるコミュニケーションがこれほど大きな比重を占めている時代が、人類誕生以来なかったのは明らかです。メールやチャット、SNSなどで日々僕たちは書き言葉を使い続けています。毎日、山のようにテキストをやり取りするなんて、40年前の僕が学生の頃には考えられませんでした。

現在のような状況になるまでに、2度の大きな変化がありました。最初は2000年頃にネットへの定額常時接続が普及したことです。これにより、僕たちが日常的にやり取りするテキストの量が爆発的に増えました。この状況は2010年代にスマホが普及したことでさらに一気に加速します。誰もがSNSを使うようになったのです。言うまでもなく、スマホを使って行うコミュニケーションは音声によるものではなく、文字つまり書き言葉によるものが圧倒的です。僕が編集の仕事を始めた1990年の頃は、書き言葉によるコミュニケーションとは「手紙」のことでした。「編集者は手紙を書くのが仕事だ」と当時言われましたが、そんな編集者でも一日数通手紙を書くのがせいぜいだったのを覚えています。それに対して、現在はどうでしょう。誰もが毎日十通以上のメールを書き、さらにSNSでも交流しています。それに伴い電話で話す頻度や時間は激減してきている。たかだか30年間で人の行動がここまで変化した分野は、知る限りほかに見当たりません。

さて、そこで問題になってくるのが「書き言葉」です。かつて、日本の書き言葉は文語体と呼ばれる、話し言葉とは大きく異なった文体が使用されていました。現在使われている書き言葉は、明治中期の言文一致運動によって確立した口語体の文章です。

「文語体」に対する「口語体」というと、「口語体」とは「話し言葉」のことである、と勘違いしてしまいそうになりますが、そうではなくあくまで「書き言葉」の一種です。その明治中期の言文一致運動以降、大きな変化がないまま口語体が使われてきたため、話し言葉とのギャップが広がって、いまや限界が露呈しつつあるのではないでしょうか。

なお、「言文一致」というと、書き言葉を話し言葉とまったく同一にしようとする運動と思ってしまいますが、実際はそうではなく、「書き言葉」の変革運動で、人為的に新しい「書き言葉」をつくり出そうとする試みでした。

口語体の中でもマンガで使われているような会話文というのは、まだまだ耐用年限が残っているようなのですが、それ以外の我々が口語体として使ってきた書き言葉は、実はもう若い世代の人たちに好かれるものではなくなってしまっているのではないか、という気がしているのです。

「おじさん構文」をきっかけに書き言葉を考える

こんなことを考えるようになったのは、「おじさん構文」の話題を目にしたのがきっかけでした。カタカナや絵文字を多用し、長文になることが多い「おじさん構文」は、相手への下心が丸見えの気持ち悪いものとして紹介されましたが、それはもしかすると、ちょっと違うんじゃないかと感じたのです。

どうしておじさんは、若者から見て不可思議な文章を書いてしまうのか？　そこに書き言葉の問題があるのではないかと僕は着目しました。

おじさん構文の使い手たちも、ビジネス文書ではしっかりとした文章を書いているはずです。でも、SNSで使用するのはビジネス文書で使うような口語体ではダメだとわかっている。SNSの場にふさわしい文体を使わないといけないと思うのだけれど、慣れていないから不自然になってしまう。会話は自然にできても、文章は慣れていないのでうまく書けないのです。言ってみれば、文章による「若作り」をしてしまい、それが「痛い」感じになってしまっているのではないかと思ったのです。

そこまで考えて、今度は反対に普段SNSの文体に慣れ親しんでいる若い人たちのことを想像してみました。若い人たちがもっとも使いやすいと感じるのは日常的に使っているSNSの文体で、従来の口語体の文章は窮屈で使いづらいものに感じているのではないでしょうか。SNSで使われている文体は、従来の口語体では表現しきれないニュアンスを含んだものになっています。そんな若い世代が書店に並んでいる本を手に取らないのは、もしかしたら内容の問題ではなくて、使われている文体が好みではないからかもしれないと思い始めたのです。

若い世代の中でも、この本を読んでくださっているような方は「そんなことはない」とおっしゃるかもしれません。それは、そうした方々が普段から本をたくさん読んでいるので、従来の文体に慣れておられるからではないでしょうか。

いま小説などの本を買っているのは50代以上が中心だと言われています。そうした世代の方々には、「自分たちの使っている書き言葉が、正しい日本語である」というように感じている方が多いかもしれません。実は僕自身もそう思っていました。でも、会社を辞めて言語学者の方々の本を読んでいくうちに、言語学では「正しい日本語」という概念はないのだと知りました。言語は変化するのが当たり前であって、表記も変化していくものだと考えられているのです。

かつては、「話し言葉とまったく隔絶《かくぜつ》した書き言葉を書くべきだ」といった意見の方も少なからずいました。そういう方向性を否定するわけではありませんが、そればかりだと読者の数はますます減っていってしまうだろうな、という気がしてなりません。

小説がしてきたチャレンジ

実は、小説のジャンルでも書き言葉を新しくしていく試みが行われてこなかったわけではありません。それどころか、そもそも「言文一致」は文学が主体となって行った運動でした。僕が編集に携わってきた時代でも、いくつもの大きなチャレンジがありました。

まずは少女小説です。僕の所属していた文三では、講談社ノベルスだけでなく、少女小説レーベルの「講談社X文庫ティーンズハート」も扱っていました。僕は担当ではありませんでしたが、夢乃愛子《ゆめのあいこ》さんの書く小説はすごかった！　手描きのハートやウサギのマークが小説の会話の中にちりばめられているんです。

当時はアナログの時代で、いまのようにデジタルで原稿データを流し込んで作業ができるわけではありません。担当編集者は版下（製版のもととなる、完成原稿）にその手描きのマークを一つひとつ貼らないといけなかったので大変そうでした。

その様子を僕は横で見ていて「なんだこれは！」と驚いたのですが、夢乃さんの文体はいまでは当たり前のものになっています。だって、SNSやメールにおいて、絵文字や顔文字を使うのはスタンダードじゃないですか。実はそういうチャレンジに小説はずっと前から挑んでいたのです。

このように小説の新しい読者が生まれる瞬間には、文体の変化が伴っていると僕は感じています。これはほかの書き言葉ジャンルと比べて、小説が優位性を持っている点のひとつです。

僕は講談社ノベルスで西尾維新さんの大ヒットを見ていて、会話体が大きく作用していると感じました。西尾維新さんのような会話文を書ける人は滅多にいません。ですから西尾さんの登場によっても、ひとつの変化が起きて、新しい読者が生まれたと思っています。

それから朝井《あさい》リョウさんは『桐島《きりしま》、部活やめるってよ』[*3]という会話文の見事なタイトルの作品を世に出し、著者と同世代の若い読者を獲得することに成功しました。

朝井さんのサイン会に行ってびっくりしたのは、僕がいままで立ち会ってきたサイン会よりも、作家と読者の距離がとても近いこと。朝井さんがファンと非常にフラットに語りあっているのを見て、いいなあと思いました。ここにも、もしかすると書き言葉の変化が影響しているのかもしれません。

ライトノベルの文体

もうひとつ大きなチャレンジを行っているジャンルとしてライトノベル、ラノベが挙げられます。現在はラノベと「一般文芸」は別の小説ジャンルとして捉えるのが普通になっていますが、両者の違いはどこにあるのでしょうか。一般的には書かれている内容やキャ

＊3　2010年、集英社刊。第22回小説すばる新人賞受賞作。高校バレー部の頼れるキャプテン、桐島の突然の退部が周囲に波紋を広げてゆく青春群像小説。

ラクターが、マンガ・アニメの影響を受けている点や、挿絵が多く挿入されている点が挙げられていると思います。もちろん、そうした違いがあるのは間違いありません。でも僕は、文体による違いも大きいのではないかと考えるのです。ラノベは会話が主体です。また一人称による主人公の内面描写も多く、それも会話文でなされていることが比較的多く見られます。

ラノベ特有の表現に「「「お前が言うんじゃねー!!」」」のような三重カギカッコがあります。同時に複数の人間が同じことを言ったことを表現する手法ですが、これは、

「お前が言うんじゃねー!!」
その場にいた全員が声を合わせた。

という文章の「その場にいた全員が声を合わせた」という「地の文」を省略したいがゆえの表現なのでしょう。ラノベの作者には「できるだけ地の文は少なくしたい」という考え方があるように感じられます。それは、できる限り「書き言葉」特有の表現をなくしたいという意識からきている、というのが僕なりの見解です。

そうした文体で書かれたラノベは、従来の口語体で書かれた「一般文芸」よりもラノベ読者にとって、しっくりとくるものだったのでしょう。だから、新しい読者を掘り起こすことができて、爆発的なヒットにつながったのではないかと思えるのです。

しかし、そのラノベも一時《いっとき》の勢いはなくなってきていると耳にします。もしかするとさらに今の読者が好む文体を取り入れることができたら、また人気が大爆発するのではないでしょうか。

マンガの売り上げが落ちていない理由

マンガはラノベ以上に会話文が使われています。というより、内面描写やナレーション的説明以外はすべて会話文です。コミックの売り上げが落ちていない理由はそこにもある気がします。

もちろん、絵の持つ説得力や魅力、電子書籍になじみやすいことなどがさらに大きな理由として挙げられるのでしょうが、フキダシの中で使われている文体が読者にとって「古い」と感じられるようなものだったら、マンガの売り上げは維持できていなかったのではないだろうかとも僕は考えるのです。

マンガの会話文は時代の流れに合わせて着実に変化しています。これは外国人の日本語学習者が、日本語の学習には教科書ではなくマンガを使ったほうが良いと考えていることからもわかります。日本語の教科書は実際に話されている日本語会話と違っていて、会話をするためには役に立たないと思われているようなのです。

上の世代の抵抗感

こうした文体の変化に対しては従来の読者は抵抗感を覚えるのが普通でしょう。たとえば僕も、山田《やまだ》悠介《ゆうすけ》さんのホラー小説『リアル鬼ごっこ』[*4]を初めて読んだとき、「なんだこれは」と思いました。表現の重複の多さが気になってしまったのです。でも、あの小説を読んでいる人たちはそんなことは気にしていません。まったく新しい魅力を感じとって、楽しんでいました。

売れているものには、必ず売れている理由があります。編集者たるもの、もし自分が面白くないと思うものが売れていたとしたら、まず一度は自分の感覚を疑ったほうが良いで

*4　2001年、文芸社刊。西暦3000年、「佐藤」姓である国王は、生意気にも同じ姓を持つ国民を抹殺する〝鬼ごっこ殺人ゲーム〟を始める……。インターネット上で話題沸騰し、自費出版本としては異例のセールスを記録した不条理ホラー。

しょう。そこが編集者と一般読者の大きな違いだと僕は思っています。

小説はそれこそ平安時代の昔から、社会の主流に属する人たちからは「女・子どもの読むものだ」「通俗的だ」「日本語として綺麗じゃない」と言われるような方向性にチャレンジして発展してきたジャンルだと言えます。その最大の例はもちろん『源氏物語』です。

平安時代の主流文学は漢文によるものでした。当時は「女の使うもの」とされた「かな文字」で書かれた『源氏物語』は、明治以降も何人もの文学者が現代語に訳して新たな読者を得ています。それでは漢文で書かれたもの、たとえば現存する日本最古の漢詩集『懐《かい》風藻《ふうそう》』を読んだことのある人はどれほどおられるでしょうか。

これは世界史を見ても同じ事例がいくらでも見つかります。14世紀のイタリアでは「俗語」とされていたトスカーナ語で書かれたからこそダンテの『神曲』は多くの人に読まれ、現代でも翻訳されているわけです。もしこれが、当時の知識人が使うラテン語で書かれていたとしたら、こうはなっていなかったはずです。

いまでもスターツ出版が運営している「野いちご」のような、少女向けの携帯小説投稿サイトは若者でにぎわっています。それを文芸と思っていない編集者もいるでしょうが、大きな鉱脈《こうみゃく》を見出している編集者たちもまた存在しているのです。小説編集者は、時代の流れに敏感でいるべきだし、新たな読者がいる場所を探していけば、まだまだ小説には可能性はあるはずです。

新書や新聞の文体にも変化を

書き言葉の問題は、小説以外のさまざまな書籍にも潜んでいます。特に新書（この本も新書です）は若者離れが深刻です。

新書の編集者の方々と話すと「もともと新書は大学生に人気だったが、最近の大学生は読まない」と危惧《きぐ》している声をよく聞きます。新書は20～30年前に読んでいた世代がそのままスライドして現在のメインの読者層になっているのです。新しい世代に読まれていない理由は、内容もさることながら書き言葉の問題にあるのではないか。僕はそんな気がしてなりません。

新書は現在でも「だ、である調」が標準に使われていると思うのですが、「だ、である調」は少々断定の度合いが強すぎるように感じます。還暦《かんれき》間近の僕でさえ、ブログなどの中でさほど断定する必要がないときにまで使われている「だ」にはちょっと年寄りめいた印象を受けるのです。若い世代にとってはもっとそう感じられてしまうのではないでしょうか。一方「です・ます調」の場合は、上下関係を感じるといいますか、教え諭すような雰囲気があります。この新書も「です・ます調」を使っていますが、文末の表現がどうしても単調になってしまうことに悩みました。江戸期の人情本のほうが文末のバリエーションに富んでいるくらいです。どちらも完璧にいまの時代にフィットしているとは言い難いのです。

もちろん、例外はいくらでもあります。書き手のキャラクターや文章能力によって印象は変わるものだということを前提としての話です。ただ、いまの書き言葉の使いづらさは、多くの新書の書き手自身も感じているのではないかと思えます。

逆に言うと、小説以上に、新書は文体を変えることで新しい読者をつかめる可能性があります。スタイルが固まっていれば固まっているほど、それを破ってみせることで新規性が打ち出せるからです。特にこの「星海社新書」は他の新書に比べて読者層が若いのですから、文体のチャレンジに積極的に挑んでほしいと期待しています。

「そんなことを言うんだったら、この新書の中であなたがやってみてください」という声が聞こえてくる気がしますが、残念ながら僕にはそうした才能がありません。でも、これからの時代をつくっていく方々には、ぜひ挑戦していただきたいです。ＳＮＳネイティブ世代はそれ以前の世代よりもはるかに書き言葉に対してセンシティブなのですから。

本書を執筆しているときに、若い世代はLINEの文末に句点（。）が付いていると書き手の怒りを感じる、ということが話題になったことがありました。僕はその話を聞いて素直に「いいなあ」と思ったのです。そのくらい書き言葉にセンシティブな世代が、どれほど細やかな表現をつくり出すのだろうか、と期待が湧き上がってきました。

もちろん書き手だけでなく、出版社もどういった書き言葉を使っていくのかを考え、新たな道を切り開いていかなければならないと思います。

そのための方法もひとつ試しに提示してみましょう。アルバイトの大学生を集めて、いま刊行されている新書の文章をチェックしてもらうのです。「古いな、と感じる表現」「意味がわからない表現」、逆に「いいなと感じる表現」などにマーカーを引いてもらいます。それらを集めて、一種の「文章マニュアル」をつくり、書き手と共有するのはいかがでしょうか。

新聞についても同じことが言えるのではないかと思っています。新聞も昔からいまのような文体だったわけではありません。明治時代の新聞は、知識階級に向けた「大新聞《おおしんぶん》」と庶民に向けた「小新聞《こしんぶん》」に分かれていました。前者は文語体、後者は口語体。ですが小新聞の人気に押されて大新聞も徐々に口語体になっていきます。大新聞と小新聞の垣根がなくなり、現在の新聞へと発展していくきっかけとなりました。

つまり、新聞の文体も以前は時代に合わせて変化してきたのです。新聞も固定化してしまった文体を変える努力をしても良いのではないでしょうか。もちろん紙の新聞はいままでの読者を無視するわけにはいかないので急に変えるのは難しいでしょう。しかし、ウェブサイトの記事などから手を付けてみることは可能なはずです。

書き言葉産業

新聞・出版社がどういう産業かと一言で言い表してみると、書き言葉を商材とする「書き言葉産業」である、というのが適切ではないかと思っています。書き言葉産業である、新聞・出版社は未来を見据えて、真正面から書き言葉の変化に対応していくべきではないでしょうか。

新聞・出版社にいる人たちはあまりにもいままでの書き言葉に慣れすぎているので、それに抵抗感や親しみにくさを感じている人のことがわからなくなっているのかもしれません。ですが、新聞・出版社こそが、多くの人が読みたくなる書き言葉を探し続けることに取り組んでほしい。いま、世の中でみんなが使っている言葉を、メディアの使用する書き言葉にも反映させて、ビジネスにすることを真剣に考える時期が来ていると感じるのです。そう考えると、書き言葉が変化しているいまの時代は、むしろビジネスチャンスだと捉えることができるはずです。

もちろん今の口語体の表現をすべてなくしてしまえ、というような極端なことを主張したいわけではありません。そんなことになったら、僕などはもっとも困ってしまう人間のひとりですから。

僕が編集者として自戒を込めて思うのは、本が売れないことに対して「若者の本離れ」などと言うのはよしておこう、ということ。若者は本離れをしているかもしれませんが、文字離れはしていません。それどころか、それ以前の世代よりも圧倒的に文字＝書き言葉に慣れ親しんでいるのです。また、「おじさん構文」の使い手もいつまでも「おじさん構文」を使っているはずはありません。普段使い慣れない書き言葉にも積極的にチャレンジしていこうという気持ちを持っている人たちなのですから、そのうちもっとスマートな文体を使うようになるはずです。書き言葉の世代による断絶は、自然に修正されていくでしょう。そう考えてみたら、出版界の未来は明るいと希望が持てませんか。

一冊の本で、業界に風穴をあけよう

業界全体や、文体についての時代の変化について語ってきました。いち編集者にどこまで関係があるのか、と思われる方もいらっしゃるかもしれません。ですが、やることは変わりません。とびきり面白い本をつくる、ただそれだけです。一冊の本を生み出すことで、世界を変えることができるかもしれません。それは、この章で取り上げてきた、局面を変えてきたいくつもの作品が証明しています。

先述の通り、ひとりの作家とひとりの編集者、たったふたりの熱意さえあれば、小説を世の中に送り出すことができます。この章で語った「視点」や「書き言葉」の問題を踏まえた上で、どんな本をつくり、世に問うのか。それぞれの編集者が作家とともに考えを深め、本をつくっていったのなら、確実に出版の未来は変わると思います。

そう考えると、胸が高鳴りませんか?

一冊の本で、業界に、この世界そのものに、風穴をあけてください。

おわりに

小説編集者の仕事とはなにか？

ここまで、「小説編集者の仕事とはなにか？」という謎を、僕なりにさまざまな角度から解き明かそうとしてきました。本書をここまで読んでくださった、このページを開いている読者のあなたにも、きっとあなたなりの考えや答えがあるはずです。

編集者になって約35年、僕はいまでも変わらず小説について語ったり考えたりすることが好きです。ですが、自分にはそれ以上に好きなことがあると、この本をつくっていくうちに気づきました。

僕は「小説編集者の仕事とはなにか」について考えるのが一番好きだったのです。

小説の編集って何なのか。どんなことをやる仕事で、どう動けばいいのか。そんなふうに考えること自体に幸せを感じていたのです。現場で編集に携わっていたときには、頭の中で作家たちの分身をつくり出しては会話をシミュレーションして、どんな順番で何を話せば思いが伝わるか、いい作品を書いてもらえるのか、四六時中考えていました。それが純粋に楽しかったからです。

考えれば考えるほど、いろいろな発見があり、視野が広がります。この本の中で書いたことも、また時間を置いて考えれば、さらに違った考え方に発展していくでしょう。だから僕は、「小説編集者の仕事とはなにか？」と問われたら、究極的には「楽しく考え続ける仕事」だと答えます。

この本も一冊かけて、僕が考え続けている行為自体を可視化したものです。「考え続ける」と言葉にするとありきたりに見えますが、実践するのはそう簡単ではありません。ですが、こんなに楽しい仕事はほかにない、と僕は心から思っています。

さらに、もうひとつ別の答えもあります。それは「才能に期待する仕事」です。小説編集者になったばかりの頃、最初の上司の中澤さんに「才能を扱う仕事なんだ」と言われましたが、それを自分なりに発展させたつもりです。

作家の持つ才能に期待し、素晴らしい作品ができあがってくると信じること、すべてはそこから始まります。期待をしない限り、人はその期待に応えてくれることはありません。当たり前のことのように聞こえますが、人に期待を持ち続けて、期待している気持ちを相手に伝えるのは、そう簡単なことではないと思っています。これは作家に対してだけではなく、自分が編集長だったときには一緒に働いてくれる部のメンバーに対しても同じように意識していました。

もちろんどちらも、あくまで僕の考えです。この本を読んでくださったあなたが、僕の考えもひとつの手がかりにして自分の考えを見つけ出してもらえたならば、嬉しい限りです。

あなたはすでに、編集者としての軸を持っている

最後に。「小説編集者として自分はどう働けばいいのか?」と迷い葛藤し、編集者としての自分の軸を探している方がいたら、あなたの読書の原点を思い出してください。

僕の場合は、「中学生の自分が夢中になった作品と同じインパクトを、いまの読者に伝えたい」というのが編集者としての軸であり、原点です。僕が中学生の頃に夢中になったのは、梅原猛さんの『隠された十字架 法隆寺論』や半村良《はんむらりょう》さんの『妖星伝《ようせいでん》』[*1]などの作品でした。世の中に、あれくらい強烈なインパクトを与えたい。復刻版を刊行したいという意味

＊1 半村良が第1巻「鬼道の巻」（1975年、講談社刊）を皮切りに、足掛け21年にわたり手がけたSF伝奇小説の金字塔。全7巻。時は田沼時代、生命が異常にあふれたこの星を、異能の集団・鬼道衆が跳梁する……。半村流の進化生物学の書でもある。

ではありませんよ。当時の自分がこれらの作品から受けたインパクトを、いまの中学生に感じてもらえるような新しい作品を出したいと、常に思っていました。

梅原猛さんは「我々の生きているこの世界には、こんなすごい謎があるんだ！」と読者に提示して、それをすさまじく熱量の高い文章で書き綴《つづ》っています。半村さんの作品は、宇山さんがよく作家にリクエストしていた「自分の立っている足元がぐらぐらと揺り動かされる作品」のまさに典型で、我々が当たり前だと思っている価値観を見事なまでに反転して、物語の世界をつくりあげています。そんな作品を中学生のときに読んだら、そりゃ影響を受けますよね。

そうした読書の原体験から、僕は「自分の信じるものや真実と思っていたものが根底から覆《くつがえ》される小説」を目指していました。これは宇山さんとの共通点でもありました。だから彼と一緒に講談社ノベルスを盛り上げることが楽しかったのだと思います。

貪欲な中学生に向けて小説をつくる、ということは常に意識してきました。中学生の頃は誰しも繊細でいろんな欲が強い時期ですから、知識欲も一番強くなっています。知識的に背伸びしたがるし、なんでも知りたがる。ですから、そんな貪欲な中学生が喜ぶような作品をつくることが大事だと僕は考えています。

中学生のときに読んだ小説って、その後の人生に、すごく強く影響を与えるものです。

それは知識欲だけに限った話ではありません。たとえば『ブギーポップは笑わない』で知られる上遠野浩平《かどのこうへい》さんの作品のテーマを、僕は「さびしさ」だと解釈しています。人間は他者と相互理解したくてもわかりあうことはできないのに、それでも他者を欲してしまう。そういうことをテーマに書いている作家なのだと感じているのです。そういう「さびしさ」って、多感な時期の中学生に対しても、深く心に刺さりますよね。

あなたは中学生のとき、どんな本に、心揺さぶられていましたか?

編集者としての自分の軸は、あなたの中にすでにあります。だから大丈夫。これまでもお伝えしてきたことですが、まずは自分を知ること。そこからがスタートです。

僕の編集者論を土台に、あなたはあなたらしい編集の仕事を構築してください。僕もまだまだ、編集者としての自分をアップデートしていきます。小説の未来をより明るく楽しいものにできるよう、一緒に闘っていきましょう。

参考文献

第5章「これからの小説の書き方を考える」を執筆するにあたっては、以下の書籍からたいへんに刺激を受けました。心より感謝いたしております。また、当然のことながら本書の記述に誤りや問題があるとすれば、その責任はすべて筆者にあることも付記いたします。

『複数の日本語』工藤真由美《くどうまゆみ》、八亀裕美《やかめひろみ》　２００８年11月11日　講談社
『日本語学を斬る』国広哲弥《くにひろてつや》　２０１５年１月19日　研究社
『物語を忘れた外国語』黒田龍之助《くろだりゅうのすけ》　２０１８年４月26日　新潮社
『語学の天才まで１億光年』高野秀行《たかのひでゆき》　２０２２年９月５日　集英社インターナショナル
『日本語とジャーナリズム』武田徹《たけだとおる》　２０１６年11月30日　晶文社
『国やぶれてもことばあり』田中克彦《たなかかつひこ》　２０１８年６月14日　新泉社
『カナリヤは歌をわすれない』田中克彦　２０１８年６月14日　新泉社

『近代書き言葉はこうしてできた』田中牧郎《たなかまきろう》　２０１３年8月23日　岩波書店
『日本語「標準形《スタンダード》」の歴史』野村剛史《のむらたかし》　２０１９年6月12日　講談社
（著者名あいうえお順）

謝辞

本書の企画は星海社の若手編集者・丸茂智晴さんから「ミステリーの書き方について執筆してほしい」というリクエストを受けたのがきっかけでした。身に余るお申し出でしたが、すこし考えてからお断りしました。そうした本はすでに何人もの方がお書きになっているし、自分がその任にはあるとは考えられなかったからです。でもさらに考えて、「丸茂さんが小説の編集者をやる上でもし悩んでいる点があるとしたら、それについての自分の考えをお話しすることならできるのではないか」とも思ったのです。

他の多くの仕事も同様だと思いますが、編集者の仕事をする上での心構えや考え方といったものはマニュアル化されていません。先輩から後輩に「口伝《くでん》」のような形でなんとなく伝わってきたというのが実際のところでしょう。僕自身も仕事の終わったあとの飲み会などで、雑談のような形でいろいろ教わってきました。本書の依頼を受けたときはまだコロナ禍の影響が強かった頃で、会社の仲間との雑談の機会が極端に減ってしまっている状態だと聞きました。それならば、僕が先輩たちから教わった口伝の数々を、歳の若い後輩にお話しすることも意味があるのではないかと考えたのです。

また、小説の未来について以前から心配していることがありました。それは、小説編集者になろうとする人はこのままだとどんどん少なくなってしまうのではないだろうか、という惧《おそ》れでした。編集者は裏方の仕事ですから、何をやっているのか出版業界の外にいる人が知ることはあまりないでしょう。それどころか出版業界の中にいてすら、他のジャンルの編集者は小説の編集者の仕事についてあまりよくわかっていないのが実情です。小説を書きたいという方や、実際に書いている方の数は以前よりも増えているのではないかと思われるのに、それを本の形にする編集者が少なくなってしまっては、小説出版は先細りです。必ずしも本の形にこだわる必要はないという意見にも聞くべきものがあると思うのですが、本という形にパッケージ化されているからこそ表現できるものもあると僕は考えています。ですので、小説編集者の仕事に興味を持ってもらえるようなお話もしたいと思いました。

幸いに丸茂さんもそうした話を聞きたいと同意してくださり、丸茂さんとミステリ評論家の佳多山大地《かたやまだいち》さんが聞き役になって、おふたりのご質問にお答えするというインタビュー形式で企画がスタートしました。お話ししているうちに自分の頭の中だけにあった考えを言語化することができ、その作業は思いのほか楽しいものとなりました。また当初は小説編集者の仕事の心得のようなものだけをお話しするつもりだったのですが、おふたりの質問にお答えするうちに自分の編集者としての半生を振り返ることとなりました。とはいえ何分にも30年くらい昔の話を思い出しながら語ったので、僕自身の記憶違いや思い込みが含まれているかもしれません。できる限り当時のことを正確に思い出そうと心がけたつもりですが、不十分なところもあるかと思います。もしお気づきの点がございましたら、ご指摘を賜りたくお願いいたします。

インタビューが終了してから、担当編集者が丸茂さんから栗田真希さんに代わることになり、栗田さんが原稿のまとめと構成をしてくださいました。僕の話はあちこちに飛んでまとまりのないものでしたが、栗田さんが見事に内容を分類し、筋道だったものにしてくださいました。本書が形になったのはすべて栗田さんのお力によるものです。栗田さんはもう「共著者」と言っても過言ではありません。聞き役となってくださった、佳多山さん、丸茂さんとともに本当に感謝いたしております。

そして本書を読んでくださった読者の方には最大の感謝をささげたいと思います。自分が編集者ではなく、書き手の立場になってあらためて実感したことがあります。それは書き手には本が売れること以上に、大きな喜びがあるということです。僕の場合は、本書を読んでくれた若い読者の方が何年か経って「この本をきっかけに小説の編集者になりました」と言ってくださること。もしそんな声が僕のもとに届いたとしたら、これ以上の喜びはありません。

小説《しょうせつ》編集者《へんしゅうしゃ》の仕《し》事《ごと》とはなにか？

二〇二四年 五 月二〇日 第一刷発行

著者 唐木《からき》厚《あつし》

発行者 太田《おおた》克史《かつし》
編集担当 栗田《くりた》真希《まき》
聞き手・脚注 佳多山《かたやま》大地《だいち》

アートディレクター 吉岡秀典《よしおかひでのり》（セプテンバーカウボーイ）
デザイナー 鯉沼恵一《こいぬまけいいち》（ピュープ）
フォントディレクター 紺野慎一《こんのしんいち》
校閲 鷗来堂《おうらいどう》

発行所 株式会社星海社
〒一一二-〇〇一三
東京都文京区音羽一-一七-一四 音羽YKビル四階
電話 〇三-六九〇二-一七三〇
FAX 〇三-六九〇二-一七三一
https://www.seikaisha.co.jp

発売元 株式会社講談社
〒一一二-八〇〇一
東京都文京区音羽二-一二-二一
（販売）〇三-五三九五-五八一七
（業務）〇三-五三九五-三六一五

印刷所 TOPPAN株式会社
製本所 株式会社国宝社

ISBN978-4-06-532625-1
Printed in Japan

294
SEIKAISHA SHINSHO

次世代による次世代のための

武器としての教養
星海社新書

星海社新書は、困難な時代にあっても前向きに自分の人生を切り開いていこうとする次世代の人間に向けて、ここに創刊いたします。本の力を思いきり信じて、みなさんと一緒に新しい時代の新しい価値観を創っていきたい。若い力で、世界を変えていきたいのです。

本には、その力があります。読者であるあなたが、そこから何かを読み取り、それを自らの血肉にすることができれば、一冊の本の存在によって、あなたの人生は一瞬にして変わってしまうでしょう。思考が変われば行動が変わり、行動が変われば生き方が変わります。著者をはじめ、本作りに関わる多くの人の想いがそのまま形となった、文化的遺伝子としての本には、大げさではなく、それだけの力が宿っていると思うのです。

沈下していく地盤の上で、他のみんなと一緒に身動きが取れないまま、大きな穴へと落ちていくのか？　それとも、重力に逆らって立ち上がり、前を向いて最前線で戦っていくことを選ぶのか？

星海社新書の目的は、戦うことを選んだ次世代の仲間たちに「武器としての教養」をくばることです。知的好奇心を満たすだけでなく、自らの力で未来を切り開いていくための〝武器〟としても使える知のかたちを、シリーズとしてまとめていきたいと思います。

2011年9月

星海社新書初代編集長　柿内芳文

SEIKAISHA SHINSHO